Johanna Adorján
Eine exklusive Liebe

D1364663

Johanna Adorján

Eine
exklusive Liebe

Luchterhand

Für meinen Vater

Am 13. Oktober 1991 brachten meine Großeltern sich um. Es war ein Sonntag. Eigentlich nicht der ideale Wochentag für Selbstmorde. An Sonntagen rufen Verwandte an, Bekannte wollen vorbeikommen, um gemeinsam mit dem Hund spazieren zu gehen, ein Montag zum Beispiel erschiene mir viel geeigneter. Aber gut, es war Sonntag, es war Oktober, ich stelle mir einen klaren Herbsttag vor, denn das Ganze ereignete sich in Dänemark, in Charlottenlund, wo meine Großeltern wohnten, einem Vorort von Kopenhagen, in dem alle Häuser einen Garten haben und man seine Nachbarn beim Vornamen nennt. Ich stelle mir vor, dass meine Großmutter am Morgen als Erste aufwacht. Dass sie aufwacht und ihr erster Gedanke ist, dass dies der letzte Morgen ist, an dem sie aufwacht. Dass sie nie wieder aufwachen wird, nur noch einmal einschlafen. Meine Großmutter setzt sich schnell auf, schlägt die Decke zur Seite und schlüpft mit den Füßen in die Stoffschuhe, die sie jeden Abend ordentlich neben dem Bett abstellt. Dann steht sie auf, eine schlanke Frau von einundsiebzig Jahren, streicht sich das Nachthemd glatt, und durchquert leise, um meinen Großvater nicht zu wecken, die paar Meter zur Tür.

Im Flur empfängt sie schwanzwedelnd der Hund, Mitzi, eine Irish-Terrier-Dame, lieb, phlegmatisch, nicht besonders gehorsam. Meine Großmutter kommt gut mit ihr zurecht. Sie spricht Ungarisch mit ihr. »Jó kis kutya«, sagt meine Großmutter, nachdem sie die Tür zum Schlafzimmer leise hinter sich geschlossen hat, guter kleiner Hund. Sie hat einen Bass wie ein Mann. Wahrscheinlich kommt das von den vielen Zigaretten, sie raucht eigentlich pausenlos. Ich könnte in meiner Vorstellung von diesem Morgen noch einmal zurückgehen und ihr gleich nach dem Aufwachen schon eine brennende Zigarette zwischen die Finger stecken, Marke Prince Denmark, extra stark (Werbeslogan: Prince Denmark ist Männersache). Ja, spätestens als sie die Pantoffeln anhatte, wird sie sich eine angezündet haben. Es riecht also, während sie dem Hund im Flur über den Kopf streichelt und gleichzeitig hinter sich leise die Schlafzimmertür zuzieht, nach frischem Rauch.

Etwas später mischt sich zum Zigarettenrauch der Geruch von Kaffee. Für feine Nasen auch ein Hauch »Jicky« von Guerlain. Meine Großmutter hat einen Morgenmantel übergezogen, einen Kimono aus Seide, den ihr mein Vater einmal aus Japan mitgebracht hat, sie trägt ihn locker in der Taille zusammengebunden und sitzt jetzt am Küchentisch. Zwischen den Fingern der linken Hand hält sie eine brennende Zigarette. Sie hat lange, elegante Finger und hält die Zigarette ganz weit oben, nahe der Fingerkuppen, als wäre eine Zigarette etwas Kostbares. Meine Großmutter wartet darauf, dass der Kaffee endlich durchgelaufen ist. Vor ihr auf dem Tisch liegen ein Füller und ein Block.

Wer meine Großmutter jetzt sehen würde, könnte meinen, sie langweile sich. Ihre Augenbrauen stehen so weit über ihren Augen, das sie von ganz alleine aussehen wie hochgezogen, schwere Lider verleihen ihrem Gesichtsausdruck eine leicht blasierte Müdigkeit. Auf Fotos aus jungen Jahren sieht meine Großmutter ein bisschen aus wie Liz Taylor. Oder Lana Turner. Oder ein anderer Filmstar aus dieser Zeit mit dunklen langen Haaren und Wangenknochen, die wie gemeißelt wirken. Sie hat eine kurze gerade Nase und einen kleinen Mund mit geschwungener Unterlippe. Nur ihre Wimpern sind vielleicht etwas zu kurz, um perfekt zu sein, und sie zeigen gerade nach unten.

Sie ist auch an ihrem letzten Tag noch eine schöne Frau. Ihre Haut ist vom Sommer gebräunt, ein tiefes, fast schmutziges Braun, die Wangenknochen scheinen noch höher gerutscht zu sein. Die Haare trägt sie kinnlang gestuft. Mit den Jahren sind sie borstig wie Draht geworden, wie eine dicke, dunkelgraue Kapuze umrahmen sie ihr Gesicht. Am Morgen des 13. Oktober 1991 sitzt meine Großmutter am Küchentisch. Während sie darauf wartet, dass der Kaffee fertig durch die Maschine gelaufen ist, notiert sie sich auf ihren Ringblock, was zu erledigen ist. Zeitung abbestellen, schreibt sie. Rosen für den Winter fertig machen. Sie hat keine Brille auf, sie braucht keine, trotz ihrer einundsiebzig Jahre, worauf sie sehr stolz ist. Vor ihr auf dem Tisch glimmt eine Zigarette im Aschenbecher. Es knistert, wenn die Glut sich weiter ins Papier frisst.

Meine Großmutter schreibt: Mitzi. Als sie den Füller absetzt, löst sich ein Klecks Tinte von der Feder, breitet sich auf dem Papier zu einem nassen blauen Fleck aus und lässt das Wort Mitzi darin verschwinden. Egal. Sie wird es sich schon merken können. Sie ist es in den letzten Tagen so oft durchgegangen, dass sie die Punkte ohnehin auswendig weiß. Sie schaltet das Radio an, ein kleines tragbares Plastikradio, das neben dem Toaster steht. Es kommt etwas von Bach. Ist ja Sonntag.

*

Am Morgen des 13. Oktober 1991 taucht mein Großvater mit einem rasselnden Atemzug aus dem Schlaf auf und ist sofort hellwach. Er greift nach seiner Brille, die auf dem Nachttisch liegt, und wirft einen Blick auf den Wecker. Neun Uhr. Er weiß, was für ein Tag es ist. Es muss ihm nicht erst einfallen, er wusste es auch im Schlaf. Aus der Küche sind Geräusche zu hören, die entstehen, wenn jemand versucht, besonders leise die Spülmaschine auszuräumen. Und, leise, das Bach a-Moll-Violinkonzert. Ist es die Aufnahme mit Menuhin? Er bleibt noch ein paar Takte liegen, dann setzt er sich auf, was für ihn anstrengend ist. Jede Bewegung erschöpft ihn, im Sitzen angekommen, muss er sich erst mal kurz ausruhen. Dann, als gäbe er sich innerlich einen Ruck, fährt er sich einmal mit beiden Händen flach über den Kopf, streicht sich die Haare nach hinten und zu den Seiten, wo sie hingehören. Und steht, ganz langsam, auf.

Menschen, die in den letzten Wochen ihres Lebens bei

meinen Großeltern zu Besuch waren, die eintraten in ihr kleines, höhlenartiges, gemütlich voll gestelltes, verrauchtes Haus, sahen meinen Großvater entweder gar nicht, weil er schlief. Oder sie trafen ihn auf dem Sofa im Wohnzimmer an, müde und sehr dünn – in wenigen Monaten war sein Gewicht von 70 auf 58 Kilogramm gefallen, er sah aus wie geschrumpft. Da saß er, von Kissen gestützt, und stand auch dann nicht auf, wenn der Besuch sich verabschiedete. Er hatte Probleme mit dem Herzen. Der Muskel war schwach geworden, eine Alterserscheinung, vielleicht die Spätfolge einer Typhuserkrankung, die er sich während des Krieges zugezogen hatte. Die Ärzte gaben ihm nur noch ein paar Monate zu leben, zuletzt stand neben seinem Bett ein Sauerstoffgerät, an dem er Luft tanken konnte.

Ich kannte ihn nur mit weißen Haaren. Ein vornehmer Mann, die Haare seitlich gescheitelt, Schnurrbart, ausgeprägtes Kinn mit Grübchen darin. Er trug immer Hemden, oft ein Seidentuch um den Hals, und seine Augenbrauen waren lang und buschig und standen in so viele Richtungen ab, als führten sie ein Eigenleben. Ich habe ein Foto, das ihn mit Kittel und Mundschutz zeigt, an seinen Augenbrauen, die über den Rand seiner Brille hinausragen, ist er trotzdem sofort zu erkennen: Er war orthopädischer Chirurg, Spezialist für Füße und Beine. Mir hat er als Kind Plattfüße attestiert, das aber so nett, dass ich dachte, das sei ein Kompliment.

Für andere mag er ausgesehen haben wie ein ganz normaler, weißhaariger, älterer Herr mit buschigen Augenbrauen. Und meine Großmutter mag auf andere gewirkt haben wie eine ganz normale ältere Frau, die sich, falls man auf Details achten wollte, auffallend gerade hielt. Auf mich wirkten sie ungefähr so:

Auftritt meine Großeltern aus Kopenhagen. Aus einer Wolke aus Parfum und Zigarettenrauch tritt ein elegantes Paar hervor, das aussieht als hätte es eben den Oldtimer um die Ecke geparkt. Sie haben die tiefsten Stimmen, die man je gehört hat, ihr Deutsch hat einen fremdländischen Akzent, und sie sprechen mit mir, als wäre ich eine kleine Erwachsene. Magst du Ballett, interessierst du dich für Opern, hältst du außerirdisches Leben für vorstellbar. Meiner Großmutter wäre es im Traum nicht eingefallen, mit uns Enkeln auf Knien durchs Kinderzimmer zu rutschen, um nach einer verloren gegangenen Playmobil-Haarkappe zu suchen, die doch irgendwo sein musste. Dafür ging sie mit uns in die Oper. Und mein Großvater ließ mich, als ich fünf Jahre alt war, an seiner Zigarre ziehen – als ich daraufhin schrecklich husten musste, erschrak er sich fürchterlich und kaufte mir ganz schnell ein Eis. Sie kamen mir vor wie Filmstars, anziehend und geheimnisvoll, und dass sie mit mir verwandt waren, meine Vorfahren waren, machte die Sache vollends unwiderstehlich.

*

Sprung. Eine liebliche Landschaft in Österreich, bei Linz. Grüne, sanfte Hänge. Wie eine Spielzeugburg liegt hier auf einem Hügel das ehemalige Konzentrationslager Mauthausen, das heute ein Museum ist. Harmlos sieht es aus, wie ein Miniaturmodell von etwas, das in Wirklichkeit viel größer ist. Als sei der Maßstab verrutscht – so überschaubar sind die Ausmaße dieses Ortes. Zwei Türmchen mit Zinnen, ein schweres Holztor. Wäre ein Fluss davor, könnte man sich hier gut eine Ziehbrücke vorstellen, aber da ist nur ein Fußweg, der sich den Berg hinauf bis vor das Tor schlängelt, das breiter ist als hoch. Eine kleine Tür, rechts im Tor ausgestanzt, steht offen. Jeder kann hindurchgehen, es funktioniert in beide Richtungen, hinein und hinaus. Manchmal, wenn zu viele Besucher da sind, kommt es zu kurzen Rückstaus, aber es wird jeder wieder hinauskommen, der hineingegangen ist. Man geht dann ein Stück den Hang hinab, vorbei an Schildern, auf denen »Todesstiege« steht, alles prima ausgebaut, geht ein paar Treppenstufen hinunter, am Haupteingang vorbei, zum Parkplatz, auf dem ab der Mittagszeit viele Busse stehen, man zahlt sein Parkticket, ist ja ganz einfach heute mit dem Euro, und dann fährt man nach Hause, erleichtert, ergriffen, erschöpft, und wo ist eigentlich die Flasche mit dem Wasser, und können wir an einer Tankstelle mit Toilette halten, und wie lange gilt diese Mautplakette eigentlich.

Ich bin mit meinem Vater hier. In der Nacht vor unserem Besuch habe ich geträumt, dass im KZ Gästebücher der früheren Gefangenen auslägen. Im Traum habe ich darin herumgeblättert und auf einmal zwischen all den Einträgen die Schrift meines Großvaters erkannt: »Mit kap a kutya. Kakilni, pisilni«, stand da auf Ungarisch – Was bekommt der Hund. Kacken, pinkeln, und seine Unterschrift.

Es ist früher Vormittag, wir sind fast die ersten Besucher. Mein Vater und ich stehen erst ein bisschen auf dem ehemaligen Appellplatz herum, der sich 350 Meter lang in der Sonne erstreckt. Ein strahlender Tag. Heiß. Keine Wolke am Himmel. Ab und zu summt eine Fliege vorbei. Es hat etwas von einem Ferienlager, so friedlich ist es, die Vögel zwitschern, die Sonne scheint. Wir wissen nicht genau, was wir machen sollen, und gehen erst mal in einen Dokumentarfilm, der alle volle Stunde in einer der Baracken gezeigt wird, die den Platz umgeben. Die Vorführung findet in einem Raum statt, der wie ein Klassenzimmer wirkt. Alte Kinositzreihen bilden die Bestuhlung, die Holzsitze quietschen beim Herunterklappen und stellen sich schnell als unbequem heraus. An die Wand vorne wird der Film projiziert, er ist schon etwas älter, mit Knisterton und kontrastarmen Bildern, so dass mitunter kaum etwas zu erkennen ist.

Ein Steinbruch ist zu sehen. Hunderte Männer in gestreifter Häftlingskleidung schleppen schwere Granitblöcke eine steile Treppe hinauf. Dies, erklärt der Sprecher, ist die sogenannte Todesstiege, auf deren Stufen ungezählte Menschen starben, teils aus Erschöpfung, teils durch Misshandlungen der SS-Aufseher. Mauthausen war ein Lager der Kategorie III, Kategorie III bedeutete »Vernichtung durch Arbeit«. Auf der Leinwand ist nun ein Steilhang zu sehen, eine fünfzig Meter hohe, fast senkrechte Felswand, von der SS »Fallschirmspringerwand« genannt. Von hier stürzten SS-Männer Häftlinge in den Tod; tausend waren es allein an dem Tag im März 1943, an dem Himmler das Lager besichtigte.

Bilder von Toten, die in elektrisch geladenen Zäunen hängen, Zeitzeugen kommen zu Wort. »Ma glaubt's ned wenn man's ned mit eigenen Augen gesehen hat«, sagt einer mit starker österreichischer Färbung. »Viele glauben, dös is a Schmäh. Dös glaubt keiner.« Dann wird die Geschichte von fünfhundert russischen Gefangenen erzählt, denen im Januar 1945 die Flucht gelang. Die Hetzjagd, die SS-Angehörige und Anwohner auf sie veranstalten, überleben elf. Elf von fünfhundert. Am 5. Mai wurde Mauthausen von den Amerikanern befreit. Der US-Soldat, der, inzwischen ein alter Mann, im Film davon erzählen will, bricht immer wieder ab, weil er so weinen muss.

Die Aufnahmen vom Tag der Befreiung zeigen bis aufs Skelett abgemagerte Männer in gestreifter Häftlingskleidung, auf der Brust tragen sie den Judenstern. Alle sind kahl geschoren, haben übergroße Augen und Nasen, Strichmünder und lange dünne Finger, sie sind nur verschieden groß. Aus dem Augenwinkel sehe ich, wie mein Vater sich während des Films ein paar Mal unter seine Brille fasst. Ich traue mich nicht, mich zu ihm zu drehen. Nach dem Film sagen wir beide wenig, und wenn doch etwas, dann in betont beiläufigem Tonfall. Wusste ich gar nicht, dass es in Mauthausen eine Gaskammer gab, sage ich. Nein, sagt mein Vater, er auch nicht.

Danach nehmen wir an einer Führung durch das Lager teil. Ein junger Mann in Turnschuhen, kurzer Hose und Poloshirt ist unser »Guide«. In den silbermetallenen Gläsern seiner Sonnenbrille spiegelt sich der Appellplatz, auf dem wir stehen. Er ist mit Kies bedeckt, die schwere Steinwalze steht noch da, mit der Gefangene früher den Boden glätten mussten. Inzwischen sind viele Schulklassen um uns herum. Sie sind laut, sie lachen, sie verschicken Kurzmitteilungen. Wissen sie, wo sie hier sind? Interessiert es sie? Ist es schon toll, dass sie überhaupt kommen? Ich fühle Wut in mir aufkommen, Wut auf diese hässlichen Teenager mit ihren zu schwarz gefärbten Haaren und zu tief sitzenden Jeans.

Unser Guide leiert die Fakten in österreichischem Dialekt herunter. »Bitte, die Baracke dort, dort wurden den Häftlingen Organe entnommen, lebenden Häftlingen bitte, um zu schauen, wie lange sie überleben. Die meisten starben eines jämmerlichen Todes. Wenn Sie jetzt bitte nach rechts schauen.« Sein gelangweilter Tonfall nimmt dem Schrecken seine Wucht, ist das gut, ist das schlecht, ich weiß es nicht. Ich bin froh, dass ich so nicht in Gefahr gerate zu weinen. Davor hatte ich Angst gehabt. Hier vor meinem Vater weinen zu müssen. Aber jetzt stehe ich hier in der Hitze, denke, dass ich eine Sonnencreme mit höherem Lichtschutzfaktor hätte mitnehmen sollen, frage mich, ob es am Ausgang Cola light zu kaufen gibt und höre dabei von dem Schrecken, der mir immer so präsent war, ohne dass ich ihn hätte genau benennen können. Hier stehend, denke ich vor allem: Aber mein Großvater hat es ja überlebt, er hat ja überlebt.

In einem Museum im Untergeschoss sind die medizinischen Versuche dokumentiert. »Hier in dieser Baracke wurden kerngesunden Menschen Organe entnommen und dann die Zeit gemessen, die sie beispielsweise ohne

Nieren leben konnten«, leiert unser Guide. »Sie starben schon nach kurzer Zeit unter grausamsten Schmerzen. So, bitte, wenn Sie mir folgen würden.« Ein paar Meter weiter erzählt er, dass tätowierten Häftlingen die Haut abgetrennt und zu Lampenschirmen verarbeitet wurde, wie man es aus Auschwitz kennt. Im Schaukasten hinter ihm ist ein Bild zu sehen, die Gruppe drängelt sich davor, das undeutliche Schwarzweiß-Foto eines Lampenschirms mit kleinem Anker drauf. Ich entferne mich ein paar Mal von der Gruppe und gucke mir die Fotos in den Schaukästen genauer an. Immer darauf gefasst, nein, darauf aus, in einer dieser dünnen Gestalten meinen Großvater zu erkennen. Was hat er in Mauthausen erlebt? Er hat nie über diese Zeit gesprochen. Hat er im Steinbruch gearbeitet? Oder als Arzt? Was hätten jüdische Ärzte im KZ gemacht? Wem hätten sie wobei geholfen?

Durch einen Raum, der dem Gedenken der Opfer gewidmet ist – Fotos von Häftlingen sind hier mit Namen und Lebensdaten ausgestellt, die meisten allerdings Italiener, mein Großvater ist wieder nicht dabei –, geht es in die Gaskammer. Sie ist nicht besonders groß und hat eine niedrige Decke. Ich will nur noch raus. Schon hört man die Stimmen der nächsten Gruppe, die dicht hinter uns ist. Mädchenkichern dringt in die Gaskammer, ich merke, wie in mir plötzlich Gefühle hochsteigen, ich weiß nicht mal welche, Wut, Trauer? Irgendwie ist es jetzt doch alles ein bisschen viel, und ich wäre gerne allein. Auf dem Weg hinaus geht es noch durch einen kleinen Raum, in dem ein Galgen steht. Dennoch seien die meisten Menschen in diesem Raum mit Genickschuss getötet worden, erklärt unser Guide, das sei praktischer gewesen, »alleine schon wegen der Geschwindigkeit«. Dann hält er einen kurzen Vortrag über die aktuelle Neonazi-Situation in Österreich, erzählt, dass beinahe täglich Hakenkreuzschmierereien von den Wänden der Gaskammer entfernt werden müssten. Er sagt, dass er darüber erschüttert sei, aber er sagt es genauso unbeteilt auf wie den Rest seines Programms. »Wir sind am Ende unserer Tour, vielen Dank, wenn noch Fragen sind …«

*

Mein Großvater hat sich einen Morgenmantel über seinen Pyjama gezogen, und seine Füße stecken in Herrenpantoffeln aus dunklem Leder, als er in die Küche kommt. Er schleicht mehr, als dass er geht. Das Radio läuft immer noch, inzwischen wird das Bach Doppelkonzert für zwei Geigen gespielt.

»Guten Morgen.« Seine Stimme ist noch tiefer als die meiner Großmutter, ein tief brummender Bass.

»Guten Morgen«, sagt meine Großmutter. »Haben Sie gut geschlafen?« Die beiden siezten sich ihr Leben lang, was auch unter Ungarn ihrer Generation absolut unüblich war – noch dazu unter miteinander Verheirateten.

»Nein, ich habe nicht sehr gut geschlafen«, sagt mein Großvater. »Und Sie?«

Meine Großmutter macht einen abschätzigen Gesichtsausdruck.

Mein Großvater setzt sich.

»Haben Sie die Zeitung noch nicht hereingenommen?«

»Es ist Sonntag«, sagt meine Großmutter.

»No ja«, sagt mein Großvater, als falle es ihm eben selber ein.

Meine Großmutter ist ein wenig angespannt, auch wenn sie das vor sich selbst nicht zugeben würde. Mitzi, der Hund, sitzt ihr zu Füßen und sieht bewundernd zu ihr auf. Wahrscheinlich spekuliert er darauf, etwas Essbares zugesteckt zu bekommen, was auch tatsächlich jeden Augenblick geschehen könnte, denn meine Großmutter hält nichts von autoritärer Hundeerziehung, vielleicht aber ist sein Hundekopf auch völlig leer. Er ist kein besonders kluger Hund, und wenn doch, weiß er es gut zu verstecken. Er sitzt also meiner Großmutter zu Füßen, sieht unverwandt zu ihr auf, und meine Großmutter krault ihm dann auch kurz den Kopf, zieht die kurzen drahtigen Löckchen zwischen den Ohren straff nach hinten, genau so wie Mitzi es mag.

»Wann gehen Sie zu Inga?«, fragt mein Großvater.

»Ich soll gegen Mittag dort sein«, sagt meine Großmutter.

Der Radioapparat macht ein knisterndes Geräusch. Mein Großvater richtet die Antenne anders aus, er bewegt sie nach links und nach rechts und lässt sie schließlich schräg zum Fenster stehen. Dann nimmt er die Kanne und schenkt sich Kaffee in seine Tasse. Dabei geht die Hälfte daneben.

Von meiner Großmutter kommt ein Seufzen.

»Oh«, sagt er, als er sein Missgeschick bemerkt. In letzter Zeit passiert ihm so etwas öfter. Er hat Probleme damit, Entfernungen richtig abzuschätzen. Er nimmt an, dass es von den Medikamenten kommt.

Meine Großmutter steht auf und reißt ein Küchentuch von der Rolle, die über dem Küchenbord hängt. Sie legt es auf die Kaffeepfütze. Schnell färbt es sich braun. Sie knüllt es zusammen, wischt noch einmal über den Tisch und wirft es in den Abfalleimer. Dann setzt sie sich wieder und schenkt ihm die Tasse voll.

»Danke.«

Er trinkt einen Schluck. Im Radio wird gleich seine Lieblingsstelle kommen. Der erste Geiger hat einen warmen, schmelzenden Ton, es könnte Oistrach sein, denkt mein Großvater, aber wetten würde er nicht darauf.

»Haben sie gesagt, wer die Solisten sind?«, fragt er.

»Ich habe nicht aufgepasst«, sagt meine Großmutter und zündet sich eine Zigarette an.

Sie hören eine Weile schweigend der Musik zu.

»Ich komme mit Ihnen, wenn Sie nichts dagegen haben«, sagt mein Großvater, nachdem der letzte Takt des zweiten Satzes verklungen ist.

»Es wird nur zehn Minuten dauern«, sagt sie.

»Ich bleibe im Auto sitzen.«

»Seien Sie vernünftig. Sie waren seit Tagen nicht draußen.«

Mein Großvater sagt nichts.

»Das strengt Sie zu sehr an«, sagt meine Großmutter.

Mein Großvater sagt wieder nichts.

»Sie ruhen sich wirklich besser aus.«

Eine Weile sagen jetzt beide nichts.

»Na schön«, unterbricht meine Großmutter schließlich das Schweigen. »Wenn Sie unbedingt darauf bestehen.« Sie fasst den Hund an beiden Ohren. »Aber Sie werden sehr müde sein.« Der Hund, der es nicht gern hat, am Ohr gezogen zu werden, entwindet sich ihren Händen und geht rückwärts unter den Tisch. Meine Großmutter steht auf. Sie stellt ihre Tasse in die Spüle. »Sie werden sich aber etwas Warmes anziehen.« Mit diesen Worten verlässt sie die Küche.

Mein Großvater sitzt eine Weile nur so da und hört der Musik zu. Nach dem letzten Ton des dritten Satzes brandet im Radio Applaus auf. Ob sie wohl gleich sagen würden, wer gespielt hat? In letzter Zeit wartet er manchmal vergeblich darauf, immer öfter sagen sie nur das kommende Stück an.

Er nimmt ein flaches Silberetui aus der Tasche seines Morgenmantels, öffnet es und nimmt ein Zigarillo heraus. Aus der anderen Tasche zieht er ein Feuerzeug, eines von der Sorte, die angeblich auch in einem Sturm funktionieren. Er zündet sich das Zigarillo an, das erste des Tages, das vielleicht sein liebstes ist. Er zieht ein paar Mal kräftig daran, dann steigt Rauch auf. Ah, jetzt zuhören, der Applaus wird leiser. »Det var dobbetkoncerten af Johann Sebastian Bach, spillet af David Oistrakh og Yehudi Menuhin«, sagt der Sprecher im Radio auf Dänisch. »Nu kommer et stykke af György Ligeti.« »György«, verbessert ihn mein Großvater, er spricht es als eine Silbe aus, mit weichem Dsch an Anfang und Ende. »Ligeti György.« Einen tiefen Zug vom Zigarillo nehmend, schüttelt er den Kopf, würden die Dänen das denn nie lernen?

*

Wir wissen nicht viel über die Zeit, die mein Groß-vater im KZ verbracht hat. Eigentlich wissen wir nichts. Er hat nie davon gesprochen, und fragte man ihn danach, was jedes Familienmitglied ungefähr einmal getan hat, so antwortete er: »Davon sprechen wir nicht.« Fragte man meine Großmutter, sagte sie dasselbe: »Davon sprechen wir nicht.« Woher also wussten wir, dass er lernen muss-te, im Gehen zu schlafen? Wäre er hingefallen oder hätte sich hingesetzt, er wäre erschossen worden. Diese eine Sache, die wussten wir. Das heißt, meine Tante und ich, wir wissen sie. Was auch immer »wissen« bedeutet, denn mein Vater zum Beispiel erinnert sich nicht daran, diese Geschichte je gehört zu haben. Wer hat sie wem erzählt? Wann? Stimmt sie überhaupt? Es gab Zeiten, da habe ich mich, wenn ich beim Joggen nicht mehr konnte, mit dem Gedanken daran motiviert, dass ich die Enkeltochter eines Mannes bin, der im Gehen schlafen konnte. Weil er muss-te. Weil sein Leben davon abhing. Hat immer funktioniert. Ja, genauso banal.

Mein Vater ruft mich an. Er hat in den Papieren meines Großvaters, die bei ihm in irgendeiner Schublade liegen, eine eidesstattliche Versicherung gefunden, aus der hervorgeht, dass mein Großvater 1944 nach Mauthausen kam und 1945 im Lager Gunskirchen, 55 Kilometer von Mauthausen entfernt, befreit wurde. Das überrascht uns, wir hatten gedacht, er sei in Mauthausen befreit worden. Im Internet finde ich Berichte über sogenannte Todesmärsche, auf denen Gefangene in den letzten Wochen des Krieges wegen Überfüllung von Mauthausen nach Gunskirchen überführt wurden. Ich lese, dass SS-Männer jeden, der stehen blieb, der vor Erschöpfung zusammenbrach oder sich nur bückte, um die Schnürsenkel zusammenzubinden, auf der Stelle erschossen. Kinder, Frauen, Männer, sie machten keinen Unterschied. Wer das Tempo nicht hielt, wurde erschossen. Ausnahmslos. Es starben Tausende auf diesen Märschen. Ich bin natürlich erschüttert, als ich davon lese, aber ich bin auch erleichtert. Es stimmt also, ich bin diese Enkelin.

*

Sie wurden einander bei einem Hauskonzert vorgestellt, 1940 in Budapest. Von Ungarn aus schien der Krieg da weit weg, noch war alles ruhig. Die Meinungen gehen auseinander, ob dieses Hauskonzert bei gemeinsamen Freunden stattfand oder bei den Eltern meiner Großmutter. Auf jeden Fall war es jüdisches Budapester Bürgertum, ich weiß, dass es ein Klavierabend war und dass der Pianist István Antal hieß (Ungarn würden natürlich Antal István sagen). Ich stelle mir trotzdem dazu noch einen Geiger vor, einen jungen mit Kafkagesicht, und in meiner Vorstellung spielen sie »Liebesleid« von Kreisler, das hat so etwas k.-u.-k.-haftes, diesen wehmütigen Schmelz einer untergegangenen Zeit. Ich stelle mir vor, dass mein Großvater bei diesem Hauskonzert in einer der vorderen Reihen saß, aufrecht, den Blick nach vorne gerichtet, und meine Großmutters zuerst seinen Hinterkopf sah. Damals sollen seine Haare noch dunkelbraun gewesen sein. Er saß bestimmt sehr gerade, denn das tat er immer. Vielleicht trug er ein Dinnerjackett, er war so der Typ Mann.

Irgendjemand wird meiner Großmutter zugeflüstert haben, dass das da vorne ein junger Chirurg sei, und vielleicht wird sie ihn da erst wahrgenommen haben, diesen gut aussehenden Mann, vielmehr diesen Mann mit dem gut aussehenden Hinterkopf, der so kerzengerade der Musik zuhörte. Es wird eine Pause gegeben haben, in der alle erleichtert waren, endlich herumgehen, trinken und plaudern zu können. Alle bis auf meinen Großvater wahrscheinlich, der Musik mehr liebte als das meiste sonst auf der Welt. Und da hat sie dann irgendjemand einander vorgestellt. Veronika und István, Vera und Pista. Sie war 20, er 31 Jahre alt.

Meine Großmutter will gleich bei der ersten Begegnung gewusst haben, dass dies der Mann ist, den sie heiraten würde. Jedenfalls hat sie das oft so erzählt. Und wie es zwischen ihnen weiterging, ist in der Familie auch sehr bekannt. Es ist eine dieser Geschichten, die so oft erzählt werden, dass es irgendwann gar nicht mehr anders gewesen sein kann als ganz genau so. Eine Familienlegende: Die beiden verabredeten sich zum Spazierengehen. Und weil sie sich so nett fanden, verabredeten sie sich daraufhin wieder zum Spazierengehen. Und daraufhin wieder. Beide dachten vom anderen, er würde für sein Leben gern spazieren gehen. Beide irrten sich sehr. Als sich die Sache irgendwann aufklärte, sollen beide schrecklich erleichtert gewesen sein.

Am 7. August 1942 heirateten sie. Eine kleine Feier, die Familien waren da, und ein paar Freunde. Auf dem Hochzeitsfoto strahlt sie ihn frech von der Seite an. Sie hat eine weiße Blüte im Haar und einen Strauß weißer Callas im Arm. Er, einen Kopf größer als sie, sieht stolz auf seine schöne Braut hinab, an seiner linken Hand, ganz frisch, der Ehering. Sie haben nur standesamtlich geheiratet, an Gott glaubten beide nicht. Ob sie sich vor dem Standesbeamten versprachen zusammenzubleiben, bis dass der Tod sie scheidet oder, wie man auf Ungarisch sagt: bis Spaten, Harke und große Glocke sie trennen? Ob sie damals schon wussten, dass sie nicht darauf warten würden?

*

Was machen Menschen an einem Vormittag, von dem sie wissen, dass es ihr letzter sein wird? Ich stelle mir vor, dass sie aufräumen, Dinge erledigen. Dass sie den Müll wegbringen, die Telefonrechnung vom letzten Monat abheften, dass sie Wäsche zusammenlegen und die zusammengelegte Wäsche noch einmal extra mit der Hand glatt streichen, bevor sie in den Schrank kommt – ist ja schließlich für die Augen anderer gedacht. Ich stelle mir vor, dass zwei Menschen, die wissen, dass dies ihr letzter Vormittag ist, eher getrennt voneinander Dinge tun, um sich nicht dauernd in die Augen zu sehen, denn was soll man schon sagen? Es wird ja, nehme ich an, alles besprochen sein. Seit Wochen und Monaten schon. Oder seit Jahren? Vielleicht hören sie Musik, nicht zu traurig, eher Mozart als Wagner. Ich stelle mir vor, wie mein Großvater im Wohnzimmer sitzt, auf dem Sessel neben dem Plattenspieler, wie er Zigarren raucht, die kleinen, dünnen, und immer wieder mal hustet, ein tiefer bronchialer Husten. Er trägt immer noch seinen Morgenmantel, auf den Knien hat er eine Schachtel mit Papieren, die er durchsehen und sortieren will, aber er tut es nicht. Er bewegt sich nicht. Seine Augen sind in eine Ferne gerichtet, die außer ihm niemand sehen kann. Sein Atem geht schwer. Vielleicht ist er einfach nur müde.

Meine Großmutter kommt ins Zimmer, mehrere Aschenbecher in der Hand. Sie hat sich inzwischen angezogen, trägt ein Hemd aus dunkelrotem Samtcord und einen Jeanslatzrock, über den sie eine Schürze gebunden hat. Und sie hat feste Schuhe an, weil sie mit dem Hund draußen war. Sie hat sich die Haare gebürstet, die ihr jetzt in einzelnen Lagen vom Kopf abstehen, was gemalt von der Form her an einen Tannenzapfen erinnern würde. Dicht hinter ihr erscheint der Hund im Türrahmen, der ihr an diesem Vormittag nicht von der Seite weicht.

»Pista?« Meine Großmutter spricht seinen Namen genervt aus, Pischta, die Koseform von István, es zischelt, wenn sie es sagt.

Mein Großvater dreht den Kopf zu ihr. Er guckt überrascht, er hatte sie gar nicht gehört, dann lächelt er. Seine Frau, seine schöne Frau.

»Ich habe Sie etwas gefragt.«

»Bitte?«, sagt er.

»Ob Sie Ihre Medizin schon genommen haben?«, fragt sie.

Mein Großvater kneift die Augen kurz zu, was meine Großmutter als Zustimmung deutet. Sie geht in die Küche, um die Aschenbecher auszuwaschen, die sie in Gästezimmer und Flur eingesammelt hat. Alles soll ordentlich sein. Sie möchte keine Umstände machen. Niemand soll sich durch ihre Entscheidung belästigt fühlen.

Das Telefon klingelt.

Meine Großmutter wischt sich die Hände an der Schürze ab und geht zurück ins Wohnzimmer, wo der Apparat auf dem Sekretär steht. Mein Großvater sieht auf. Er dreht die Musik leiser.

Meine Großmutter nimmt den Hörer ans Ohr.

»Ja?«

–

»God dag, Sebastian, geht es dir gut?« Es ist mein Cousin.

–

»Morgen? Nein, morgen können wir nicht, das haben wir doch bereits besprochen. Wie lange bist du noch in Kopenhagen?«

–

»Nein, morgen geht es gar nicht, auch am Nachmittag

nicht. Wir sind doch morgen im Spital, Pista hat Examination.«

–

»Ja, bestimmt. Das dauert immer lange. Ja, sehr schade, aber du musst uns ein anderes Mal besuchen kommen.«

–

»Richte ich aus. Mach's gut, ja, du auch, ja, farvel-farvel.«

Sie legt den Hörer auf, steht auf und geht wieder in die Küche.

»Was sagt er?«, ruft mein Großvater ihr nach.

»Er wollte uns morgen besuchen kommen«, ruft meine Großmutter.

»Und was haben Sie ihm gesagt?«, ruft mein Großvater, der alles mitgehört hat.

»Ich sagte, wir müssen ins Spital.«

»Morgen?«

»Ich sagte, Sie haben Untersuchungen.«

»Gut.«

»Er ist in Kopenhagen. Er wollte morgen kommen. Ich habe gesagt, dass das nicht geht.«

»Gut.«

Mein Großvater stellt die Musik wieder lauter.

In der Küche stützt sich meine Großmutter kurz mit beiden Händen am Spülbecken ab. Dann richtet sie sich auf und nimmt einen Aschenbecher aus dem Spülwasser, um ihn abzutrocknen.

Nein, falsch, das ist meine sentimentale Phantasie. Meine Großmutter hat sich nicht abstützen müssen. Sie hatte eine Entscheidung getroffen, sie hatte diese Entscheidung vor langer Zeit getroffen, und wäre sie sentimental gewesen, würde sie heute noch leben. Sie war an diesem Oktobertag vor sechzehn Jahren eine vollkommen gesunde, einundsiebzigjährige Frau.

*

Nach ihrem Tod haben wir ihren Kleiderschrank ausgeräumt, meine Tante, meine Mutter und ich. Ich habe mir eine Jacke genommen, die aussieht als wäre sie aus Schlangenleder, die aber in Wahrheit aus Plastik ist. Meine Großmutter hat sie selbst genäht. Das Material sieht so echt aus, dass ich mir mehr als einmal Vorwürfe von Tierschützern habe anhören müssen, als ich die Jacke trug. Inzwischen geht das Plastik oben am Kragen an ein paar Stellen ab und das grüne Innenfutter tritt zutage, aber ich trage sie immer noch. Mit so einem komischen Familienstolz. Allerdings nur an kühlen Tagen, denn man schwitzt ziemlich in ihr, was meine Großmutter sich natürlich nie hatte anmerken lassen.

Sie zog sich extravagant an. Die Schlangenplastikjacke trug sie im Ensemble mit einer Hose aus demselben Material, und dass sie es schaffte, darin nicht auszusehen wie verkleidet, sondern einfach sehr gut, lag an einer angeborenen Eleganz. Alles stand ihr. Sie konnte tragen, was sie wollte – und tat es: Sie hatte eine Vorliebe für auffallenden Schmuck und gewagte Farben, kombinierte Leder und Strick, Nicki und Cord, knotete sich alles Mögliche um ihre schlanke Taille, und im Sommer trug sie bodenlanges gelbes Frottee und Sonnenbrillen, hinter denen sie halb verschwand.

Das Einzige, was so gar nicht zu ihrer sonstigen Erscheinung zu passen schien, waren ihre Schuhe, die wir ordentlich nebeneinander gereiht in einem Extraschrank fanden. Meine Großmutter hatte irgendetwas mit den Füßen, vermutlich Überbein, das ich jedoch nie gesehen habe und auch sonst kaum jemand, weil sie es sorgsam vermied, ihre Füße je zu zeigen. Sie ging leicht einwärts gedreht und trug ausschließlich flaches festes Schuhwerk mit hellen Oma-Gummisohlen. Was sie jedoch nicht daran hinderte, stolz und sehr aufrecht zu gehen. Sie schritt über Bürgersteige, als laufe sie über einen für andere unsichtbaren roten Teppich.

Wenn sie jemanden partout nicht leiden mochte, sah sie einfach durch ihn hindurch, und sie tat dies in einer solchen Vollendung, dass für ihr Gegenüber die Erdatmosphäre um einige Grade kälter wurde. Sie tat dann so, als existiere dieser Mensch nicht, auch wenn er direkt vor ihr stand, guckte einfach durch ihn hindurch, als sähe sie durch seinen Kopf auf die gegenüberliegende Straßenseite und dort sei aber auch nichts Besonderes zu entdecken.

Man fürchtete und man bewunderte sie. Wenn sie in einen Raum voller Menschen kam, nahmen alle ihre Laune an, so stark, so zwingend war ihre Persönlichkeit. Wenn sie lachte, war man erleichtert. War sie müde oder hatte, Gott bewahre, schlechte Laune, konnte die allgemeine Stimmung ins Bedrückte kippen.

Ich glaube nicht, dass meine Großmutter sich ihrer Wirkung bewusst war. Ich glaube, sie hielt sich für eine elegante, interessante, gescheite, sympathische Frau, die gerne kochte und buk und in die Oper ging. Aber was weiß man schon von seiner Großmutter. Die kleine Frau, die an einem heißen Sommertag in Budapest auf einem geschwungenen Biedermeiersofa vor mir sitzt, war ihre beste Freundin. Sie ist so alt wie meine Großmutter heute wäre, 87. Sie ist ein bisschen krumm, wie ein verwachsener Baum, gleichzeitig aber auch noch ganz mädchenhaft, ihre Lippen sind in einem kräftigen hellen Rot geschminkt. Wir sehen uns heute zum ersten Mal. Ihre Biographie hat sie nach Charleston, South Carolina, verschlagen, wo sie seit vielen Jahren wohnt. Jetzt ist sie für ein paar Wochen zu Besuch in ihrer ungarischen Heimat, und sie geht davon aus, dass es ihr letzter Besuch hier sein wird. Das Reisen macht ihr zu schaffen.

Sie ist so eigen gekleidet wie alte Menschen es manchmal sind, denen es mit den Jahrzehnten egal geworden ist, ob ihr Geschmack noch von irgendjemandem sonst geteilt wird. Auf ihrem ärmellosen schwarzen Hemd tanzen kleine weiße Eiffeltürmchen in Ringelreihen umeinander her, ihre Brille ist so überdimensioniert, dass sie links und rechts über ihr Gesicht hinausragt. An den Oberarmen schlägt ihre Haut weiche Längsfalten. Ihren Ring erkenne ich sofort: drei dünne, ineinander verschlungene Kreise in unterschiedlichen Goldtönen – der Cartier-Ring meiner Großmutter.

Nachdem wir uns gesetzt haben, zündet Erzsi sich eine

Zigarette an, die erste von vielen, sie raucht Marlboros. Sie sitzt breitbeinig da, ganz vorne auf der Sofakante, die Unterarme auf die Oberschenkel gestützt, guckt sich mich durch ihre riesigen Brillengläser an. »Okay«, sagt sie, »what do you want to know.«

*

Am 19. März 1944 besetzten die Deutschen Ungarn, also erst ziemlich spät im Krieg. Innerhalb der nächsten Monate deportierten sie in einer bis dahin nicht gekannten organisatorischen Großleistung an die 600 000 ungarische Juden; alleine nach Auschwitz kamen innerhalb von nur zwei Monaten circa 430 000. Die ungarischen Neuankömmlinge boten im Lager einen ungewohnten Anblick. Wohlgenährt, weil sie so lange verschont geblieben waren, gesund – und so viele, man kam mit dem Ermorden kaum noch hinterher. Die Deutschen haben dann aber doch noch ganze Arbeit geleistet: Bis Mai 1945, binnen eines Jahres also, hatten sie zwei Drittel aller ungarischen Juden umgebracht.

Als Deutschland Ungarn besetzte, war meine Großmutter gerade im dritten Monat schwanger. Sechs Monate später, am 26. September 1944, in der Zeit der höchsten Gefahr, brachte sie einen Sohn auf die Welt, meinen Vater. Wir wissen, dass sie ihn die ersten Monate in einer Schublade versteckte. Wie aber konnte sie sich verstecken? Wo war diese Schublade? Wie konnte sie Ghetto und Konzentrationslager entgehen? Wir wissen, dass sie falsche

Papiere hatte. Warum sie, und mein Großvater nicht? Wie hat meine Großmutter den Krieg überlebt?

*

It was a crazy time«, sagt Erzsi. Wir sprechen Englisch miteinander, ich mit deutschem, sie mit ungarischem Akzent. Ihre Augen sind ganz wach hinter ihren großen Brillengläsern. Eine verrückte Zeit, es gab so viel zu tun, so vielen zu helfen. Sie sagt es vergnügt, fast aufgekratzt. Als sei das alles ein einziges großes Abenteuer gewesen. Dabei ist sie selbst Jüdin – wie hat sie eigentlich die deutsche Besatzung überlebt?

»Falsche Papiere«, sagt sie leichthin. »Mein Mann war im Widerstand, wir konnten jede Menge falsche Papiere besorgen. Es war eine herrliche Zeit, natürlich war es eine schreckliche Zeit, aber ich war damals rund um die Uhr in einem Zustand der Manie. Es fühlte sich großartig an, helfen zu können. Ich war jung, vielleicht habe ich die Gefahr nicht richtig erkannt. Ich bin eigentlich die ganze Zeit nur herumgerannt, habe Leute mit falschen Papieren versorgt und mich dabei gefühlt wie ein guter Engel.«

Ja, aber wenn es so einfach war, warum musste mein Großvater, der Mann ihrer besten Freundin, ins KZ?

»Er wurde zum Arbeitseinsatz jüdischer Männer eingezogen und von dort weggebracht. Da konnten wir nichts machen. Deine Großmutter hatte falsche Papiere. Ich weiß, dass sie den Judenstern nur einen Tag getragen hat, dann hat sie ihn wieder abgemacht. Aber ich weiß nicht, wo sie gewohnt hat, wir hatten in dieser Zeit nicht so viel Kontakt.«

Meine Großmutter habe sie damals im Verdacht gehabt, gemeinsame Sache mit den Deutschen zu machen, erzählt Erzsi. Während um sie herum lauter Bekannte ins Ghetto gesteckt wurden oder verschwanden, sei Erzsi vollkommen angstfrei und unbehelligt herumgelaufen und habe furchtbar gute Laune gehabt, das sei meiner Großmutter komisch vorgekommen. Außerdem hätten sich ihre Wege wegen der Männer sowieso für ein paar Jahre getrennt, sagt sie. Beide seien sie so verliebt gewesen, noch nicht lange verheiratet, da war kein Platz für eine Freundin. Sie habe sie aber einmal im Krankenhaus besucht, ein paar Tage bevor das Baby kam.

Mein Vater wurde also im Krankenhaus geboren?

»Ja. Sie hatte ja falsche Papiere. Ihre Mutter war auch gerade da, als ich zu Besuch kam. Vera hat eine schreckliche Laune gehabt.«

Erzsi lacht. Und dann erzählt sie, wie sie sich kennengelernt haben, meine Großmutter und sie, dass sie sich in der Schule miteinander anfreundeten und alles gemeinsam machten, Hausaufgaben, Ballettunterricht, Zigaretten rauchen. Wie sie allerbeste Freundinnen wurden, weil sie auch sonst nicht so viele Freunde hatten, und ich stelle sie mir hübscher vor als die anderen Mädchen in der Klasse, hübscher, intelligenter und wahrscheinlich fürchterlich arrogant.

*

Nach der Hochzeit zogen meine Großeltern in ein prachtvolles Bürgerhaus in der Nähe der Oper, direkt an einem der verkehrsreichsten Plätze der Stadt, am Oktogon, an dem vier Straßen zusammentreffen und man von der Straßenbahn in die Metro umsteigen kann. Das Haus gibt es noch. Auf das Dach ist heute eine Leuchtreklame montiert, schon von Weitem ist nachts der Schriftzug »Rolex« zu sehen, in grünen Lettern mit gelbem Krönchen über dem L. Es ist eins dieser südeuropäischen Mietshäuser, die um einen Innenhof herum gebaut sind. Ein Treppenhaus verbindet die Etagen miteinander, die einander ihre Balustraden zuwenden wie Ränge in einem Theater. Faule Menschen können einen Aufzug benutzen, dessen Eisentür sich mit einem rostigen Quietschen öffnet.

Meine Großeltern wohnten im zweiten Stock. Schräg unter ihnen wohnte der ältere Bruder meines Großvaters mit Frau und Kind. Er starb in den Sechzigerjahren in seiner neuen Heimat Australien, auf Fotos sieht er aus wie eine verlaufene Aquarellskizze meines Großvaters. Wo der eine angenehm gleichmäßige Gesichtszüge hatte, wirkten die des anderen verrutscht, sein Gesicht war schmaler, die Augen von schwarzen Schatten umrandet. Er hieß József, wurde Dodo genannt und war Rechtsanwalt. Von ihm immerhin ist detailliert überliefert, wie er den Krieg überstand. Es gibt einen Brief, den er 1946 einem ehemaligen Schulfreund schrieb und in dem er erzählt, wie er mehr als einmal dem Zugriff der Gestapo entkam und sich die letzten Wochen bis Kriegsende in der Wohnung am Oktogon versteckte, die seine nichtjüdische Frau hatte halten können.

Über meine Großeltern schreibt er darin Folgendes: »Meine nächste Familie gibt es auch noch. Pista hat 1942 geheiratet; Ende September 1944 bekamen sie einen Jungen – großartiges Timing –, seine Frau und das Baby versteckten sich mit falschen Papieren während der schwierigen Zeit. Pista wurde mit dem Arbeitsdienst nach Polen gebracht; von dort marschierten sie – mit einem Umweg, um Budapest zu umgehen – den ganzen Weg bis nach Mauthausen und später nach Gunskirchen. Ich nehme an, Du bist mittlerweile mit den Namen dieser Städte vertraut, aufgrund ihres traurigen Aufstiegs zum Ruhm – sie liegen jedenfalls im westlichen Teil Österreichs.«

Auch von ihm ist also nichts Genaueres über den Aufenthaltsort meiner Großmutter zu erfahren. Vielleicht hat auch sie sich im Haus am Oktogon verstecken können, das, wie Dodo schreibt, gegen Ende des Krieges von der deutschen Gestapo besetzt wurde, was sich als Glück herausstellte, weil es damit vor Judendurchsuchungen durch die ungarischen Nazis, die sogenannten Pfeilkreuzler, sicher war.

Ihre Eltern jedenfalls hatten nicht so viel Glück. Obwohl auch sie falsche Papiere hatten, wie Erzsi mir erzählt, wurden sie gegen Ende des Krieges von den Pfeilkreuzlern in dem Haus aufgespürt, in dem sie sich versteckt hielten. Es war außerhalb Budapests gelegen, ein verlassenes Haus auf dem Land. Vielleicht war es auch eine stillgelegte Fabrik, die auf einer Insel in der Donau gelegen war, diese

Version kennt mein Vater. Sowohl Erzsi als auch mein Vater sagen, aus dem Schornstein aufsteigender Rauch habe die Eltern meiner Großmutter verraten. Wie Hunderte anderer Juden in den letzten Kriegsmonaten wurden sie von den Pfeilkreuzlern ans Donauufer getrieben und in den Fluss geschossen. Sie starben im Dezember 1944, der genaue Todestag ist nicht bekannt.

Meine Großmutter hat nie wieder von ihnen gesprochen. Es hatte sie gegeben, es gab sie nicht mehr, so, und nun sprechen wir von etwas Erfreulicherem.

Ihre Namen stehen im Budapester Holocaust Memorial Center an einer Gedenkwand: Gizella und Elemér Fellner. Ganz klein stehen sie da, zwischen den Namen Tausender anderer Ermordeter. Mein Vater und meine Tante haben mir Folgendes über sie erzählt: Gizella liebte Blumen, war Zionistin und litt an Depressionen; Elemér war Ingenieur, hatte einen großen Schnurrbart, eine Glatze und war lieb und lustig.

Schon seltsam, was von Menschen übrig bleibt.

*

Die Musik ist irgendwann ausgegangen, ohne dass mein Großvater es gemerkt hätte, und er hat auch nicht gemerkt, dass meine Großmutter die karierte Wolldecke über seine Beine gelegt hat, die sonst auf dem Sofa liegt. Er ist auf dem Sessel eingeschlafen, den Kopf zur Seite geneigt, den Mund leicht geöffnet, hin und wieder macht sein Atem ein gurgelndes Geräusch.

Meine Großmutter hat sich gelbe Spülhandschuhe angezogen und die Ärmel hochgekrempelt. Sie hat vor, das Haus picobello zu hinterlassen, und nachdem sie in Schlafzimmer, Badezimmer und Küche schon gesaugt, gewischt, geschrubbt und aufgeräumt hat, ist jetzt das Esszimmer dran, das vom Wohnzimmer aus abgeht und das sie nur selten nutzen. Vor allem seit mein Großvater krank ist und sie keine Gäste mehr zum Essen dahatten.

An der Wand hängt ein dunkelroter Perserteppich, den sie gerade ansieht, als wäre es das erste Mal. Er hängt dort, seit sie eingezogen ist. Ganz schön düster eigentlich, denkt sie. Komisch, war ihr vorher nie aufgefallen. Sie klopft dagegen, es wirbelt kein nennenswerter Staub auf, umso besser, denkt sie, sonst hätte sie jetzt den Teppichklopfer suchen müssen.

Den Hund hat sie in den Garten gelassen. Wahrscheinlich sitzt er längst vor der Tür und wartet darauf, wieder hineingelassen zu werden, er weiß nie besonders lange etwas mit sich allein im Garten anzufangen, aber noch hat meine Großmutter kein Bellen gehört.

Auf dem Esstisch liegen ein paar Briefe, Rechnungen, Telefon, Autoversicherung, Strom. Sie nimmt ein Kuvert und versucht den Datumsstempel auf der Briefmarke zu entziffern – irgendwann im August. Ohne noch einen weiteren Blick darauf zu werfen, packt sie den gesamten Haufen in die Abfalltüte, die schon zur Hälfte gefüllt ist. Sie hat sogar daran gedacht, die Diätpillen hineinzutun. Und alle Unterhosen, die schon ein bisschen verschlissen sind. Muss ja nun wirklich niemand wissen.

Unter den Briefen kommt ein Aschenbecher zum Vorschein, den sie hochnimmt und prüfend ansieht. Scheint sauber zu sein. Es ist ein weißer Plastikaschenbecher, auf dem in schwarzen Buchstaben, die wie beim einem Sehtest immer kleiner werden, steht: »Too much sex makes you shortsighted.« Pista hat ihn einmal in Amerika auf irgendeinem Flughafen gekauft. Natürlich Pista. Das ist sein Humor. Er ist auch für die Uhr verantwortlich, die in der Küche an der Wand hängt: »No whiskey before 5 o'clock« steht auf dem Zifferblatt: Die Zeiger zeigen immer auf fünf Minuten nach fünf.

Der Humor meines Großvaters war in etwa so angestaubt anzüglich wie die Cartoons im »Playboy«-Magazin. Und genauso harmlos. Er machte immer dieselben Witze, ein sehr überschaubares Repertoire: »Meine Frau hat Beine wie eine Gazelle«, sagte er beispielsweise und fügte nach einer kleinen Pause verschmitzt hinzu – »schlank und behaart.« Und fragte ihn jemand, warum er und seine Frau sich siezten, sagte er folgenden Spruch: »Wenn ich meine Frau duzen würde, käme sie womöglich auf die Idee, mich auch zu duzen – und das«, an dieser Stelle schüttelte er in gespielter Entrüstung den Kopf –, »das ginge ja nun wirklich nicht.«

Von draußen ist jetzt der Hund zu hören. Er klingt beleidigt. Meine Großmutter legt den Aschenbecher zurück auf den Tisch und rückt einen Stuhl gerade. Sie guckt sich noch einmal um, viel mehr ist in diesem Raum sowieso nicht zu tun. Die Vitrine, in der oben alte Gläser aufbewahrt sind und unten Alkoholika, sieht aus wie frisch poliert. Die Noten auf dem kleinen Tafelklavier, das so verstimmt ist, dass Pista seit Jahren nicht mehr darauf gespielt hat, sind ordentlich aufeinandergestapelt, »Diabelli zu vier Händen« liegt ganz oben. Sie geht schnell noch zum Fenster und zupft den Vorhang zurecht, der unten eingeschlagen gewesen war. So, denkt sie. Und geht dem Hund öffnen.

*

Ich laufe durch Budapest und versuche mir vorzustellen, wie diese Stadt früher war. Hier und da hat der Ostblock hässliche braune, kastenförmige Gebäude hinterlassen, die heute Hotelketten beherbergen, aber wenn man die Augen zusammenkneift und alles leicht verschwimmen lässt, ahnt man die Vergangenheit. Die Häuser haben geschwungene Entrees und Innenhöfe. Es gibt viele Denkmäler. An den großen Boulevards entlang der Donau geht ein Wind, der einem die Haare ins Gesicht weht, was nervt. Ich weiß kaum etwas über dieses Land. Die Menschen sind freundlich, aber nicht übertrieben höflich. Männer gucken Frauen nach. Frauen werden früh dick. Ungarisch klingt gereizt.

Ich laufe durch die Stadt und versuche herauszufinden, ob sie irgendetwas in mir zum Klingen bringt. Ob mir hier irgendetwas vertraut vorkommt, und sei es auch nur die Mentalität der Menschen. Als ich am Donauufer stehe und die Kettenbrücke sehe, die von Pest hinüber auf die andere Seite nach Buda führt, meine ich mit einem

Mal, mich an etwas zu erinnern wie an etwas, das man mal im Halbschlaf gehört hat und das einem nun bekannt vorkommt, ohne dass man genau wüsste, woher man es kennt. Dann merke ich, dass mich der Blick einfach nur an Prag erinnert. Die Donau, die Brücke, der Hügel am anderen Ufer. Ja, genau wie in Prag, nur nicht ganz so viele schlecht gelaunte, schwarz gekleidete Schulkinder, die klassenweise ihren Lehrern hinterherlaufen, ohne je den Blick von ihren Turnschuhen zu heben.

Schräg vor dem Parlament, das sehr lang ist und so dicht ans Donauufer gebaut, dass es wirkt, als stimmten die Proportionen nicht, ist ein Denkmal, das an den Holocaust erinnern soll, an die Massenerschießungen von Juden, die an dieser Stelle – und an vielen anderen – stattgefunden haben. Es ist ein rührend scheußliches Kunstwerk: Auf der Uferbefestigung stehen vielleicht zwanzig Paar Schuhe, originalgroß, in Metall gegossenen, die Spitzen zum Fluss hin zeigend. Sieht aus, als hätte jemand die dazugehörigen Statuen geklaut. Oder als sei nach einem Barbecue nicht aufgeräumt worden. Aber gut. Hier also könnte es gewesen sein. Hier könnten sie erschossen worden sein, die melancholische Gizella und der freundliche Elemér, das Parlament im Rücken, mit Blick auf den Hügel von Buda, zur Linken die Kettenbrücke, vielleicht das Letzte, was sie gesehen haben. Es geht an dieser Stelle steil hinunter, bestimmt vier Meter, unten sind Felsen und Steine.

Als ich zurück zu meinem Hotel gehe und die Menschen auf den Straßen alle Ungarisch sprechen höre, denke ich wieder einmal, wie gerne ich diese Sprache habe, auch wenn ich wirklich nichts verstehe. Der Klang dieser Sprache, der humpelnde Rhythmus, der sich aus den Betonungen der ersten Silben ergibt, die vielen dunklen Vokale – auf mich wirkt das so beruhigend und vertraut wie ein Gute-Nacht-Lied aus der Kindheit. Ich selbst kann leider nur mit Hunden auf Ungarisch kommunizieren: Hol a cica? Megyünk sétálni! Jó kutya, rossz kutya, kis kutya. Wo ist die Katze?, komm mit spazieren, guter Hund, böser Hund, kleiner Hund. Das war's. Nicht einmal meinen Nachnamen kann ich richtig aussprechen. Als ich meinen Vater einmal in einem Hotel in Budapest anrief, verstand mich der Portier so lange nicht, bis ich meinen eigenen ungarischen Nachnamen in breitem Amerikanisch-Englisch aussprach. Dann, endlich, verband er mich mit Mr. Ädohrdschän.

Wie ungarisch bin ich eigentlich? Meine Tante, die in Dänemark lebt, seit sie neun Jahre alt ist, einen dänischen Pass und dänische Kinder hat, sagt, sie fühlt sich als Budapester Jüdin. Sie trägt eine Kette mit zwei Anhängern daran: einem Kreuz und einem Davidsstern. Mein Vater fühlt sich als Däne, sagt er, rechnet aber noch auf Ungarisch. Ich habe eine deutsche Mutter und einen Vater, der sich als Däne fühlt, der aber von seiner Abstammung her zu drei Vierteln ungarisch und zu einem Viertel kroatisch ist. Mein Vater ist jüdischer Herkunft, meine Mutter nicht. Was heißt das für mich? Was heißt es, alles Mögliche nur halb zu sein? Ist es von Vorteil, bei Fußballspielen nicht für Deutschland sein zu müssen, aber zu können, je nachdem, wie die Lage ist? Wäre es nicht leichter, etwas ganz zu sein und sei es ein hundertprozentiger Verlierer? Mein Pass ist dänisch, also bin ich dänisch, aber bin ich es? Und warum müssen es ausgerechnet dänische Pässe sein, die im internationalen Vergleich am öftesten gefälscht werden, so dass ich immer länger kontrolliert werde als andere?

*

Als ich noch ein Kind war, bekam ich oft zu hören, ich sei wie meine Großmutter. Ich hörte es immer dann, wenn ich türenschmeißend anderer Meinung war oder einfach sehr schlechter Laune. Meistens hörte ich es von meiner Mutter, die ihre Schwiegermutter zwar sehr gern hatte, ihr Temperament vielleicht aber auch ein wenig fürchtete.

Sie hat mir von meinem ersten Besuch bei meinen Großeltern in Kopenhagen erzählt. Ich war noch ein Baby, und meine Mutter fand das Essen, das meine Großmutter kochte – österreichisch-ungarische Mehlspeisen und Fleischgerichte –, zu schwer für mich. Also ging sie in den Supermarkt und kaufte Gemüse, das sie extra für mich zubereiten wollte. Als meine Großmutter das mitbekam, sei sie entsetzlich beleidigt gewesen. Sie habe einen ganzen Tag lang das Wort nicht mehr an sie gerichtet, an diese Person, die ihr Sohn geheiratet hatte und der das Essen, das man mit viel Mühe kochte, offenbar nicht gut genug war. Mein Großvater habe die Wogen schließlich geglättet – ich möchte wetten, er hatte Übung darin. Er sei mit ihr spazieren gegangen, sagt meine Mutter, und habe versucht, ihr das Verhalten seiner Frau zu erklären. Sie sei manchmal schwierig, habe er gesagt, aber das käme aus dem Wunsch heraus, es für alle besonders schön zu machen. Wie ich alle Beteiligten kenne, wird es letztendlich meine Mutter gewesen sein, die sich entschuldigt hat.

Ich liebte meine Großmutter mit zärtlicher Bewunderung, hoffte, dass ich ihr durch ein Wunder vielleicht eines Tages doch noch ähneln würde, dem Aussehen nach, und suchte nach Dingen, die uns verbänden, nach Sachen, die wir teilen konnten. Als ich etwa 14 Jahre alt war und es mein größtes Hobby war, für Supermodels zu schwärmen, bat ich meine Großmutter, mir alles aus dänischen Illustrierten auszuschneiden, was auch nur im Entferntesten mit Renée Simonsen zu tun hatte, einem dänischen Topmodel mit weit auseinander stehenden Augen und einem kantigen klaren Gesicht. Und meine Großmutter lachte mich nicht aus, sondern sagte: Wie heißt die, warte, ich hole mir einen Stift – und ein paar Wochen später kam die erste von mehreren Postsendungen mit original dänischen Renée-Simonsen-Zeitungsausschnitten.

Später, da war sie schon tot, fing ich an zu rauchen, und ich glaube, es war vor allem ihrem Andenken geschuldet. Ich rauchte wie sie. Kette wie sie. Und roch so wie sie. Und ich hörte lange nicht damit auf, weil es mir wie ein Verrat an ihr vorgekommen wäre. Solange ich rauchte, dachte ich, war ich ihr nahe. Irgendwann habe ich dann doch aufgehört. Die Angst vor Falten war stärker.

*

Meine Großmutter ist inzwischen einmal ordnend durchs ganze Wohnzimmer gegangen. Sie hat die Bücher im Regal gerade gerückt, die Kissen auf dem Sofa aufgeschüttelt, zwischen den Doppelfenstern drei tote Fliegen entfernt und sich wieder einmal gewundert, wie die da immer hineinkommen. Es ist ihr ein ewiges Rätsel, denn die Fenster sind immer geschlossen, wenn, dann wird durch die Terrassentür gelüftet. Sie hat endlich die Glühbirne in der Hängelampe ausgewechselt, die vor Monaten kaputtgegangen war, hat die Fernbedienung zurück auf den Fernsehapparat gelegt und dessen Scheibe mit einem antistatischen Tuch gereinigt, das anschließend auch seinen Weg in den Müllsack fand. Unter der Kommode hat sie eine Haarspange gefunden, von der sie keine Ahnung hat, wem sie gehört oder seit wann sie da liegt. Und in der Sofaritze zwischen Rückenlehne und Polster ist doch tatsächlich das Kabel ihres tragbaren CD-Players wieder aufgetaucht, nach dem sie vor ein paar Wochen das ganze Haus abgesucht hatte.

Hin und wieder gab sie mittwochs Gymnastikstunden für ältere Leute. Das Ganze war von der Volkshochschule organisiert und fand in einer dieser Mehrzweckhallen statt, in der dicke blaue Matten an den Wänden lehnen und die Schuhe auf dem Holzboden quietschen. Es nannte sich Jazzdance für Senioren, war aber in Wahrheit nicht viel mehr als Kniebeugen und im Kreis gehen zu beschwingter Musik, die sie auf ihrem CD-Gerät abspielte. Neulich, als sie das Kabel nicht gefunden hatte, hatte sie ihren alten Kassettenrekorder nehmen müssen, und weil sie dann schon fast zu spät gekommen wäre, hatte sie einfach die Kassette drin gelassen, die gerade eingelegt war. Sie hatten dann eine Stunde lang zu Smetana turnen müssen.

Das Honorar kam einer Aufwandsentschädigung gleich, sie machte es hauptsächlich zum Spaß. Sie mochte es, aus dem Haus zu gehen, um ihren Beruf auszuüben, auch wenn sie hier eher als Altenpflegerin gefragt war denn als Krankengymnastin, wie sie immer dachte, wenn sie die Teilnehmer schon bei der zweiten Übung keuchen hörte und ihre geröteten Gesichter sah. Sie verachtete Alter, wenn es offensichtlich war. Hervortretende Venen, wuchernde Leberflecke, schlaffe welke Haut – während sie laut auf Dänisch den Takt vorgab und ihre Gruppe immer wieder freundlich ermahnte, das Ausatmen nicht zu vergessen, hegte sie innerlich böse Gedanken. Sie fand den Anblick der meisten hier eine Zumutung, Speckrollen um die Hüften waren für sie ein Zeichen von Disziplinlosigkeit, hängende Hautlappen unter dem Kinn hielt sie schlichtweg für dumm. Da konnte man heutzutage doch einiges machen, und sie wüsste nicht, was dagegen spreche. Wäre bei ihr ästhetisch irgendetwas nicht mehr hinnehmbar, sie würde sich liften lassen. Seit Langem las sie alles darüber, was die Zeitungen berichteten. Aber im Großen und Ganzen war sie noch ganz zufrieden. Sie hatte gute Gene. Sie aß maßvoll. Und Krampfadern ließ sie sich selbstverständlich entfernen.

Meine Großmutter rollt das CD-Kabel zusammen und legt es auf den Tisch. Wenn Pista aufwacht, wird sie ihn fragen, wo sie es hinlegen soll. Er ist bei ihnen für elektronische Geräte zuständig, ihre Aufgabengebiete sind klar aufgeteilt. Ein kurzer Blick zu ihm – er schläft noch immer. Sein Kopf ist inzwischen noch weiter zur Seite gesunken, bequem sieht es nicht aus, aber er scheint ganz friedlich. Der Arme, sie wird jetzt leider staubsaugen müssen, es ist sonst alles getan. So leise wie möglich steckt sie den Stecker in eine freie Dose, hält kurz inne – und drückt dann den Knopf. Mit lautem Brummen springt das Gerät an.

Als sie das nächste Mal zu meinem Großvater guckt, ist dessen Kopf zur anderen Seite gedreht.

*

Budapest, Mai 1945. Die Stadt lag in Trümmern, die Kettenbrücke hing in zwei Teile gesprengt in die Donau, aber der Krieg war vorbei und damit die Zeit des Versteckens. Meine Großmutter zog zurück in die Wohnung am Oktogon, die bis auf zerborstene Fensterscheiben unversehrt geblieben war. Sie nahm eine Freundin als Mitbewohnerin auf, die abends in einer Bar Klavier spielte und laut Erzsi eine begnadete Entertainerin war. Um Geld zu verdienen, arbeitete meine Großmutter, die neben Ungarisch nahezu perfekt Französisch und Deutsch sprach, tagsüber als Dolmetscherin und Fremdenführerin und kellnerte abends in der Bar, in der ihre Freundin Klavier spielte. Sie habe sehr viel Trinkgeld bekommen, vor allem von Amerikanern, erzählt Erzsi und guckt dabei so verschwörerisch, als hätten die ihr das Geld in den BH gesteckt. So konnte sie das Kindermädchen bezahlen, das auf meinen erst wenige Monate alten Vater aufpasste.

Meine Großmutter war damals 25 Jahre alt. Eine schöne junge Frau, deren Leben durch einen Krieg unterbrochen worden war, als es eben erst richtig beginnen sollte. Sie lebte, aber nichts war gut. Ihre Eltern waren tot, und ihr Mann? Kriegsgefangene kehrten nach Budapest zurück, Menschen, die in Konzentrationslagern befreit worden waren – von meinem Großvater keine Nachricht. Mit jedem Tag, an dem er nicht kam, wurde unwahrscheinlicher, dass er noch lebte. Es wurde Mai, es wurde Juni, es wurde Juli.

Erzsi sagt, in dieser Zeit habe sie meine Großmutter zum ersten Mal von Selbstmord sprechen hören. Sie habe zu ihr gesagt, wenn Pista nicht zurückkäme, werde sie sich das Leben nehmen. Trotz Kind? Mit Kind? Wie ernst hat sie es damals gemeint?

Ich erinnere mich an ein Nietzsche-Zitat, das ich in der Schule mal im Religions- oder Ethikunterricht gehört und später nirgendwo gefunden habe. Es könnte auch von Sartre gewesen sein. Sinngemäß sagte es, dass es immer im Leben, zu jedem Zeitpunkt, genau drei Möglichkeiten gibt: Man kann etwas tun, man kann es bleiben lassen oder man kann sich umbringen. Ist dies ein Gedanke, der Kraft geben kann? Weil er alles, auch schlechte Zeiten, als freiwillige Wahl erscheinen lässt? Hat der Gedanke an ein selbstbestimmtes Ende meiner Großmutter gute Laune gemacht? Ihr die Gewissheit gegeben, nie wieder ausgeliefert zu sein? Sie unabhängig gemacht vor großen Ängsten – man muss schließlich nichts ertragen, was man nicht ertragen will, nicht Krankheit, Altern, Gebrechlichkeit?

Am 4. Mai 1945 wurde das Lager Gunskirchen von den Amerikanern befreit. Im Internet lese ich Augenzeugenberichte von amerikanischen Soldaten. Sie erzählen von Tausenden zu Skeletten abgemagerten Männern, halb verrückt vor Hunger und Durst, zu schwach, die Toten wegzuräumen, die alle paar Meter lagen und verwesten. Es war ein heißer Mai, es soll schrecklich gestunken haben. Zwei Tage vor der Befreiung hatte die SS das Lager verlassen, in diesen zwei Tagen allein waren geschätzte 2000 Menschen gestorben. Eine Flecktyphusepidemie war ausgebrochen, mein Großvater war unter den Kranken, für die es keine Medikamente, kein Wasser, kein Essen gab. Soweit wir wissen, hat mein Großvater noch eine Weile im Krankenlager gelegen. Dann erst hat er sich auf den Heimweg gemacht. Soweit wir wissen, zu Fuß. Am 10. Juli erreichte er Budapest. Es war der Geburtstag meines Onkels István, der heute in Melbourne lebt. Er erinnert sich noch genau an diesen Tag, zumindest erinnert er sich an seine Erinnerung (er wurde an diesem Tag drei Jahre alt): Man hatte den Tisch festlich gedeckt und auch einen Teller für meinen Großvater aufgetan, für den Fall, dass er doch noch zurückkäme. Und dann klopfte es tatsächlich, oder es klingelte. Und sie machten auf, und vor der Tür stand ausgemergelt und mit einem langen Bart: mein Großvater, kaum zu erkennen, aber er lebte, er war es, er war wieder da.

*

Meine Großmutter steht im Schlafzimmer vor dem Kleiderschrank und überlegt. Sie hat eben einen Brief an ihre Freundin Erzsi geschrieben, der sie selbst zum Weinen gebracht hat. Eigentlich hatte sie vorgehabt, es ganz nüchtern zu machen, wie alles heute, ein Tag wie jeder andere, einer dieser Sonntage, an denen man Dinge zu erledigen hat. Aber dann hatte sie den Satz »Vergiss mich nicht« geschrieben, auf einmal standen diese drei Worte in ihrer nach rechts gebogenen Füllerschrift auf dem Blatt Papier, ein anderer Abschiedsgruß war ihr nicht eingefallen, und da waren ihre Augen dann nass geworden, und ein paar Tränen hatte sie nicht aufhalten können, und sie waren ihr die Backen heruntergelaufen. Zum Glück hatte Pista es nicht mitbekommen. Seine regelmäßigen Schnarchgeräusche waren bis in die Küche zu hören. Vergiss mich nicht – nein, Erzsi sollte sie nicht vergessen, wie auch sie Erzsi nie vergessen hätte, wäre es andersherum gekommen. Erzsi, ihre kleine Freundin Erzsi, seit Schulzeiten ihre einzige Vertraute, außer Pista natürlich, aber das war etwas anderes.

Sie unterschrieb den Brief, und als sie ihn eben in ein Kuvert stecken wollte, fiel ihr ein, dass es nett sein könnte, Erzsis Tochter Klarí etwas mitzuschicken. Was würde sie wohl freuen? Diese Frage führte meine Großmutter schließlich, nachdem sie eine relativ neue Flasche Parfum als zu kompliziert zu verschicken befunden hatte, ins Schlafzimmer vor ihren Kleiderschrank. Ob die rote Strickjacke, die Pista ihr einmal in Paris gekauft hatte, etwas für sie war? Nein, entscheidet sie, zu elegant. Das gilt für eigentlich fast alles, was ihr Kleiderschrank beinhaltet, denn man kann Klarí einiges nennen, aber gewiss nicht elegant – schließlich zieht meine Großmutter eine türkise Jogginghose zwischen ein paar zusammengefalteten Kleiderstücken auf der unteren Ablage hervor. Sie ist so gut wie neu. Praktisch unbenutzt. Und Klarí sieht aus, denkt meine Großmutter, als könne etwas Sport nicht schaden. Sie begutachtet die Hose gründlich, und nachdem keine größeren Flecken oder Löcher zu sehen sind, macht sie sich auf die Suche nach einem Umschlag, der groß genug ist.

*

Stingy« – das ist das Wort, das Erzsi benutzt. Ich muss es nachschlagen: stingy – geizig, kleinlich, knauserig. Ihre Tochter Klarí ist dazugekommen, hat sich neben ihre Mutter gesetzt, die seltsamerweise, vielleicht weil sie so kräftigen Lippenstift benutzt, viel jünger aussieht als ihre vollkommen ungeschminkte Tochter. (Merken: Ab 80 viel Lippenstift.) Die beiden lachen, als sie von der Jogginghose erzählen, die meine Großmutter Klarí geschickt hat. So ein schäbiges Geschenk, lachen sie, eine gebrauchte Jogginghose, an den Knien schon ganz ausgeleiert.

Die beiden Frauen auf dem Sofa erheitern sich derart über die Knauserigkeit meiner Großmutter, dass ich anfange, mich unwohl zu fühlen. Immerhin ist sie tot. Und meine Großmutter. Aber ich weiß ja, was sie meinen. Von meinen Eltern ließ sie sich Familienpackungen »Nur 1

Tropfen« aus Deutschland schicken, weil es in Dänemark kein so günstiges Mundwasser gab. Wer immer eine Flugreise unternahm, musste im Duty-free eine Stange Prince Denmark für sie kaufen. Und Erzsi erzählt, dass meine Großmutter sich von ihr Nähnadeln aus Amerika schicken ließ. Nähnadeln! Um welche Beträge kann es sich gehandelt haben?

Mein Vater sagt, Sparen sei ihr Hobby gewesen. Eine richtige Leidenschaft. Es habe sie mit Genugtuung erfüllt, in Secondhand-Geschäften Sachen zu finden, die aussahen wie neu. Sie war es, die in der Familie das Geld verwaltete. Mein Großvater gab alles ab, was er verdiente, und wollte er ihr dann etwas zum Geburtstag kaufen, musste er sich von ihr erst einen Betrag genehmigen und das Geld geben lassen.

Wir alle haben ihre Sparsamkeit zu spüren bekommen. Ihren Geschenken ging immer ein Schrecken voran: Worüber würde man sich diesmal nicht freuen? Ich erinnere mich an T-Shirts, die viel zu klein waren und denen anzuriechen war, dass sie lange Zeit im Haus meiner Großeltern gelegen hatten (sie rochen, als wären sie in einem Aschenbecher gelagert worden). Ein Buch, das gelesen aussah. Eine Flasche Badeschaum, die nicht ganz voll war. Und meine Großmutter fragte immer nach. Ob man sich gefreut habe, ob man ein Bild auch aufgehängt habe, und wenn sie das nächste Mal zu Besuch kamen, wollte sie es sehen. Selbst wenn man sich einmal wirklich über etwas freute, hatte man das Gefühl, Freude vortäuschen zu müssen, denn ein »Vielen Dank« genügte ihr nie, selbst wenn es von Herzen kam, und sowie sich eine Gelegenheit bot, drehte sie einem die Worte im Mund herum, darin war sie eine Meisterin. »Freut es dich?« – »Ja, sehr!« – »Wirst du es tragen?« – »Ja, bestimmt.« – »Ich möchte sehen, wie du darin aussiehst, schickst du ein Foto davon.« – »Ja, mache ich.« – »Und es ist nicht zu eng an den Ärmeln?« – »Überhaupt nicht, es passt perfekt.« – »Und du hast nicht schon so eines?« – »Nein.« – »Warum hast du so eines noch nicht, hast du Nickipullover nicht gerne?« – »Doch, ich finde Nickipullover sehr schön, vielen Dank.« Und so weiter.

*

Ich treffe Erzsi an zwei aufeinanderfolgenden Vormittagen. Unsere Gespräche scheinen sie anzustrengen, je länger wir sprechen, desto länger werden die Pausen, in denen ich nie sicher bin, ob sie nicht vielleicht nur überlegt, ob nicht gleich noch etwas kommt. »You have to ask something«, fordert sie mich mehrmals auf. Die ausgedrückten Zigaretten im Aschenbecher sind am Filter rot von ihrem Lippenstift.

Was war meine Großmutter für ein Mensch?

»Sie hatte zwei Persönlichkeiten«, sagt Erzsi. »Eine war sehr förmlich. Hing an Statussymbolen. Traditionelles Frauenbild. Perfekte Haltung, siezt ihren Mann, offiziell nicht kommunistisch, nicht jüdisch, Vorzeigekinder. Alles insgesamt ein großer Erfolg. Die andere Seite hat sie nur mir gezeigt. Dann war sie albern. Wir haben viel gelacht.

Sie war dann wie ein Teenager. *Relaxed*. Lustig. Wir haben über alles geredet, über alles, wirklich alles. Wenn wir uns getroffen haben, haben wir schon zum Frühstück Alkohol getrunken, starken Alkohol, Slivovitz oder so etwas. Aber …« Sie guckt mich prüfend an, als wolle sie sichergehen, dass ich die Wahrheit vertrage. »Sie war kein glücklicher Mensch. Sie war im tiefsten Inneren sehr unsicher. Sie dachte, dass niemand sie mag. Es war ihre idée fixe. Sie dachte, kein Mensch auf der Welt hat sie gerne. Keiner außer Pista.«

Ich bin überrascht. Das wäre mir nie in den Sinn gekommen. Ich versuche das, was Erzsi sagt, mit dem Bild zusammenzubringen, das ich von meiner Großmutter habe. Die schöne Arztgattin, die erfolgreiche Mutter, die elegante Gastgeberin, die ausgezeichnete Köchin, die amüsante Tischdame, diese interessante, gescheite, temperamentvolle, bisweilen arrogant auftretende Frau soll in Wahrheit zutiefst unsicher gewesen sein? Sich ungeliebt und einsam gefühlt haben?

Wie sagt man auf Englisch: It does ring a bell.

Das tiefste Gefühl, das ich kenne, ist das Gefühl nicht dazuzugehören. Es ist das Gefühl, mit dem ich aufgewachsen bin. Es ist kein schönes Gefühl, und ich weiß auch gar nicht, woher es eigentlich kommt. Seit ich denken kann fühle ich mich, als störte ich. Als wären alle glücklicher ohne mich, und das betrifft nicht nur meine Familie, sondern auch meine Freunde, überhaupt alle, immer. Ich fühle mich, als passe ich nicht richtig dazu. Als wären alle rund und ich eckig oder andersherum.

Niemand liebt mich, man kann mich nicht lieben: Das ist meine tiefste Überzeugung, zugleich meine größte Angst, und wenn ich ihr bis ganz hinab folge, führt sie mich zu dem Gefühl, das mir vertraut ist wie kein anderes: Ich bin ganz allein.

Es ist, als hätte Erzsi mir einen Schatz geschenkt. Was für eine Neuigkeit – meine Großmutter fühlte wie ich?

Am liebsten würde ich auf der Stelle alle Menschen anrufen, die ich kenne, und ihnen allen sagen: Ich bin doch nicht verrückt. Ich bin nur die Enkeltochter meiner Großmutter. Sie hatte es auch. Sie war wie ich. Ich bin wie sie. Hurra. Ich könnte Erzsi umarmen, ich würde sie am liebsten hochheben, diese zierliche kleine Person, und mit ihr durchs Zimmer tanzen. Ich tue es nicht. Zu sehr überwältigt mich diese neue Erkenntnis, zu sehr rührt sie an mein Innerstes. Außerdem würde sie vielleicht gar nicht so gerne hochgehoben werden. Ich bleibe also sitzen und tue so, als ob nichts wäre.

Und plötzlich verstehe ich auch die Liebe meiner Großmutter, die so ausschließlich war, so bedürftig, so groß und letztlich bedingungsvoll: Beweise mir, dass ich mich irre; beweise mir, dass ich doch liebenswert bin, dann werde ich für immer bei dir sein, ich werde dir folgen bis in den Tod.

Und plötzlich kann ich mir auch vorstellen, warum sie nicht ohne ihn leben wollte, warum sie mit ihm starb.

*

Meine Großmutter steht, die Schürze immer noch umgebunden, in der Küche und sucht im Vorratsschrank nach einem Päckchen Trockenhefe. Sie ist ganz sicher, dass sie noch welche hat, obwohl, ganz sicher ist sie vielleicht doch nicht, es ist ziemlich lange her, dass sie gebacken hat, aber eigentlich hat sie immer welche, also irgendwo muss welche sein, hier, nein, das ist Vanillinzucker, vielleicht in der Schublade mit den Backblechen? Sie zieht die Lade unter dem Kühlschrank auf – plötzlich ist aus dem Nebenzimmer ein lauter Knall zu hören. Dann die Stimme meines Großvaters, der ein unschönes ungarisches Schimpfwort von sich gibt. Er ist also aufgewacht. Meine Großmutter läuft ins Nebenzimmer, der Hund folgt ihr in sicherem Abstand.

Mein Großvater steht neben dem Klavier, vor ihm auf dem Boden liegt ein Stapel Noten, der von der Ablage heruntergefallen sein muss. »Ich weiß auch nicht«, sagt er entschuldigend. Der erwartete Tadel bleibt aus. »Shit happens«, sagt meine Großmutter nur und hebt die Noten auf. Sie hätte auch »Tel Aviv« sagen können, ihren zweiten Lieblingsspruch, eine Verballhornung von »C'est la vie«. Ansonsten beschränkt sich ihr Humor weitgehend darauf, die Witze meines Großvaters auch beim hundertsten Mal noch mit Gleichmut zu ertragen. Sie legt die Noten zurück aufs Klavier. »Sie müssen sich umziehen, wenn Sie mitkommen wollen«, sagt sie. »Ich habe Ihnen eine Hose und ein Hemd herausgelegt.« Dann geht sie wieder zurück in die Küche, der Hund zwei Schritte hinter ihr.

In der Backschublade findet sie tatsächlich noch ein

ganzes Paket Trockenhefe. »Na schau«, sagt sie laut. Sie öffnet den Kühlschrank und nimmt Eier, ein Paket Butter und einen Liter Milch heraus. Dann guckt sie in das kleine Büchlein, das aufgeschlagen auf dem Küchentisch liegt, und liest, Zeile für Zeile mit dem Zeigefinger entlangfahrend, was da in ihrer eigenen Handschrift geschrieben steht. Aus dem Wohnzimmer ist plötzlich Klavier zu hören. Erst ein schiefer Akkord. Dann die Nocturne in c-Moll von Chopin, ein Stück, durch das man sich durch geschickten Pedal-Einsatz wunderbar hindurchmogeln kann, Läufe verschwimmen, Triller verhallen unter gehaltenen Akkorden, ein dankbares Stück für Menschen, die nicht regelmäßig üben.

Meine Großmutter lässt Butter im Wasserbad weich werden, schlägt zwei Eier auf, trennt das Dotter vom Eiweiß und röstet Mohnsamen kurz in der Pfanne an, bevor sie sie im Mörser zerstößt. Weil Mohn in Dänemark unter das Betäubungsmittelgesetz fällt und sie ihn immer in der Apotheke auf Rezept kaufen muss, das ihr mein Großvater ausstellt, ist sie normalerweise sparsam damit. Heute nicht. Sie kippt eine Tasse mehr Mohn als im Rezept vorgesehen in die Pfanne und muss lächeln, als ihr einfällt, dass der Kuchen wahrscheinlich sehr beruhigend ausfallen wird. Nur an eine unbehandelte Zitrone hat sie nicht gedacht. Egal. So wird sie eben eine gespritzte nehmen, es wird sich schon niemand daran vergiften, denkt sie und hobelt mit geübten Bewegungen die Schale ab. Dann schüttet sie den Inhalt des Beutelchens Trockenhefe in eine Schüssel und fügt unter Rühren Wasser und Zucker hinzu.

Nebenan stolpert mein Großvater gerade zum vierten Mal über denselben Lauf. »Bitte weiter!«, ruft meine Großmutter ihm aus der Küche zu. »Das kennen wir schon.« Sie hält dem Hund einen Löffel hin, an dem etwas Teig ist. »Mmh«, macht sie. »Fein.« Der Hund riecht vorsichtig an dem Löffel und zieht es vor, nicht zu probieren. Aus dem Wohnzimmer donnern auf einmal die Akkorde des Hochzeitsmarsches von Mendelssohn Bartholdy, fortefortissimo. Das Klavier ist ein wenig verstimmt, es klingt wie eine ausgeleierte Tonspur.

»Pista«, ruft meine Großmutter. Sie hat gute Laune. Sie kam ganz plötzlich, jetzt ist sie da.

Mein Großvater scheint sie nicht gehört zu haben, etwas falsch, aber im Takt unbeirrt spielt er weiter.

»Pista«, ruft sie, diesmal lauter.

Das Klavierspiel verstummt.

»Ja?«, ruft er zurück.

»Wir Sie auch«, ruft sie.

»Was haben Sie gesagt?«, ruft er.

»Wir Sie auch!«, ruft sie noch einmal. Sie gibt die Teigmasse zusammen mit Mehl und der weichen Butter in ein Teigrührgerät und schaltet es auf die höchste Stufe. Der Teig soll so glatt werden, dass er nicht mehr an der Schüssel kleben bleibt. So steht es im Rezept. Als sie das Gerät ausschaltet, ist kein Klavier mehr zu hören. Mein Großvater steht im Türrahmen.

»Was haben Sie gesagt?«, sagt er.

Sie verliert ein bisschen die Laune, wiederholte Nachfragen langweilen sie.

»Wir wollen gleich nach dem Backen los«, sagt sie, sie hat keine Lust mehr auf Witze.

»Ja«, sagt er. »Was riecht denn hier so fein?«

»Riecht es fein?«, fragt meine Großmutter. »Vielleicht der Mohn.«

»Ist das Beigli?«

»Ja.«

»Für uns?«

»Für Weihnachten.«

»Darf ich probieren?«

Sie sagt »Finger weg!«, bleibt aber ruhig stehen und wartet, bis mein Großvater seinen Zeigefinger in den Teig gesteckt und gekostet hat.

»Mmmmh«, macht er.

»So, und jetzt hinaus.« Sie stellt den Ofen auf maximale Hitze und Umluft. Jetzt muss es schnell gehen, der Teig darf nicht aufgehen. Meine Großmutter teilt ihn in vier gleich große Portionen, nimmt aus einer Schublade eine Rolle und rollt jede Portion zu einer Fladenform lang.

»Mucika …« Mein Großvater steht immer noch in der Küche. »Wollen Sie es sich nicht noch einmal überlegen? Sie könnten Weihnachten …«

»Ich habe zu tun, bitte, sehen Sie das nicht?«, fällt sie ihm ins Wort, während sie in einer Schublade nach einem Holzlöffel sucht. Ah, da ist einer. Sie nimmt ihn, belädt ihn mit Füllung, gibt auf jeden der vier Teigfladen jeweils einen großen Klecks, den sie der Länge nach verstreicht.

»Sie könnten Weihnachten in München verbringen«, sagt er.

Meine Großmutter nimmt den ersten bestrichenen Teig mit den Fingern an den Längsseiten und rollt ihn wie eine Biskuitrolle zusammen.

»Oder bei Erzsi. Sie wären nicht allein.«

Dann den zweiten.

»Schluss.« Es klingt drohend.

Vom Türrahmen aus sieht mein Großvater meiner Großmutter zu. Sie kommt mit wenigen Handgriffen aus, nichts geht daneben, die Mohnfüllung schließt exakt mit den Seitenkanten ab, nichts quillt über. Sie rollt den dritten Kuchen zusammen.

»Aber ich finde, Sie …«

Dann den vierten.

»Pista, ziehen Sie sich bitte etwas an. Es ist viel zu kalt hier. Und Schluss jetzt. Die Antwort ist Nein.«

Sie guckt noch einmal in ihr Rezept, das sie nicht auswendig weiß, weil sie diesen Kuchen nur einmal im Jahr macht, normalerweise erst im November, aber gut, man kann ihn einfrieren. Mein Großvater verschwindet aus dem Türrahmen. »30 bis 45 Minuten im Ofen backen«, liest sie, »oder bis es braun ist.« Sie nimmt die Küchenhandschuhe vom Haken, öffnet den Ofen, zieht ein Blech heraus, belegt es mit Backpapier, gibt die vier Teigrollen darauf und schiebt es in den Ofen. Sie stellt die eingebaute Uhr auf 30 Minuten.

»Halbe Stunde«, ruft sie.

»Welche Strümpfe soll ich anziehen?«, ruft es aus dem Schlafzimmer zurück.

Sprung nach Paris. Hier, in einer ruhigen Seitenstraße der Rue de Rivoli im I. Arrondissement wohnt eine entfernte Verwandte meiner Großmutter, wie weit entfernt, weiß sie selber nicht. Illi heißt sie, und sie sieht meiner Großmutter sogar ein bisschen ähnlich, die gleichen hohen Augendeckel, die gleichen wie getuschten Augenbrauen, die gleichen kurzen Wimpern. In wenigen Tagen wird Illi neunzig Jahre alt. Sie wohnt im fünften Stock, in ihrem Haus gibt es keinen Fahrstuhl, jeden Tag geht sie die steil geschwungene Treppe mehrmals hinunter und hinauf. Das hält jung, sagt sie und schneidet eine Grimasse dazu, als wäre sie ein kleines Mädchen und hätte etwas furchtbar Blödes gesagt.

Ich habe sie zuvor erst einmal gesehen, 1990 war das, und ich war gerade für ein halbes Jahr in Paris. Damals interessierte ich mich nicht so sehr für diese etwas sonderliche alte Dame, mit der ich angeblich verwandt war. Einmal habe ich sie besucht, ich hatte eine Freundin mitgenommen, wir saßen höflich etwa eine Stunde herum, dann gingen wir, und ich dachte nicht mehr an sie.

Illi ist in Wien geboren und hat dort ihre Kindheit verbracht; in den frühen Dreißigerjahren hat sie in Berlin gelebt, hat in Charlottenburg die Schule besucht, und ist dann »wegen dem Hitler«, wie sie sagt, nach Budapest gezogen. Ab 1936 lebte sie dort.

Sie kannte sie alle, die Eltern meiner Großmutter, die Eltern meines Großvaters, mit irgendwelchen von ihnen war sie ja schließlich auch verwandt. Sie kann ich fragen, wie sie waren, all diese Menschen, die für mich nur Namen sind.

Gizella Fellner, die melancholische Zionistin, die Mutter meiner Großmutter. Wie war sie?

»Die Giza?«, fragt Illi. »Nett war sie, sehr nett. Und schön.«

Und ihr Mann, Elemér?

»Der war so lieb«, sagt Illi.

Auf Nachfragen erzählt sie ein bisschen mehr. Gizella, die aus Kroatien stammte, habe Ungarisch nie ohne Akzent gesprochen. Sie sei depressiv gewesen und zum Analytiker gegangen. »Du, der war der wichtigste Mann in ihrem Leben.« Sehr sparsam sei sie gewesen (sie also auch!) – Illi ist so höflich, es nicht geizig zu nennen. Obwohl sie sich frisches Brot hätten leisten können, hätte sie beim Bäcker nur Waren vom Vortag gekauft, sogar Kuchen, der schon ganz trocken war, darüber habe man im Kreis der Familie oft Witze gemacht. Ihre Tochter sollte es einmal besser haben, dafür habe sie gespart. Und ihre goldene Regel sei ein ungarisches Sprichwort gewesen: »Egal, wie viel du hast, es ist möglich, mehr zu haben – egal, wie gut etwas ist, es könnte besser sein.« Illi sagt es auch auf Ungarisch. Sie freut sich, dass sie es noch aufsagen kann.

Und Elemér?

Der sei der netteste Mensch der Welt gewesen. Ingenieur bei der Eisenbahn. Jeder hätte ihn geliebt, vor allem Vera, sein einziges Kind. Weil Gizella das Geld so gut zusammenhielt, hätten sie sich eine schöne Eigentumswohnung in Budapest leisten können. Wo die genau war, weiß sie nicht mehr, und sie scheint auch keine Lust mehr auf Erinnerungen zu haben, jedenfalls wechselt sie das Thema und erzählt stattdessen etwas über die Leute, die jetzt hier in Paris in die Wohnung neben ihr eingezogen sind und die sie nicht mag.

Ich sitze ganz vorne auf der Kante eines Stuhls, den ich mir mit einer babygroßen Gremlinfigur teile, die hinter mir sitzt und die Rückenlehne für sich beansprucht. Sie hat übergroße Fledermausohren und braune Plastikfüße, und ich versuche, nicht an sie zu stoßen, weil ich mich ehrlich gesagt ein bisschen ekele. Die ganze Wohnung ist mit Puppen voll gestellt. Folklore-Trachtenpuppen, bunte Stofffiguren, Plastikbarbies, Plüschtiere, Comicfiguren, Babuschkas – kein Winkel, in dem nicht welche stünden oder säßen, der Größe nach sind sie auf Regalen nebeneinander gereiht, sitzen auf Tischen, Kommoden, gucken einen von Fenstersimsen und Sofalehnen aus an. »Meine Schätze«, nennt Illi sie, es müssen weit über tausend sein.

Während der deutschen Besatzung hatte sie kaum Kontakt mit meiner Großmutter, erzählt sie. Sie selbst sei damals fast gar nicht in Budapest gewesen, deswegen wisse sie auch nicht, wo meine Großmutter sich versteckt habe. »Vielleicht im Keller, am Oktogon?« Sie sagt es fragend. Dass Gizella und Elemér erschossen wurden, weiß sie. Zumindest nickt sie, als ich es anspreche. Sie weiß aber nicht mehr, wie sie davon erfuhr, sie weiß auch nichts Genaueres darüber, und meine Großmutter habe auch nie mit ihr darüber gesprochen.

Auf einmal wechselt sie das Thema.

»Du«, sagt sie, »einmal haben sich Juden drei Tage in der Synagoge versteckt, drei Tage, niemand wusste, dass sie dort herinnen waren. Und dann haben sie sie gefunden, die eine Hälfte hat man in die Donau geschossen, die andere hat man freigelassen. Sag, willst du nicht noch ein Stück Schokolade, hier, ich bin süchtig nach Schokolade, wusstest du das, ich bin ganz verrückt danach, nimm noch ein Stück.« Sie schiebt mir eine angebrochene Tafel quer über den Tisch, womit schon wieder ein Thema gewechselt wäre oder zumindest unterbrochen. Kommt mir irgendwie bekannt vor: Davon sprechen wir nicht, es ist unerfreulich, und doch auch schon sehr lange her.

Immer wieder steht Illi auf, sie läuft etwas schief, irgendwas mit der Hüfte, ist aber sehr schnell auf den Beinen. Einen Moment später kommt sie dann mit irgendetwas Neuem wieder, das sie aus einer Ecke ihrer verwinkelten Dachwohnung geholt hat. Eine andere Sorte Schokolade. Ein Paar Schuhe, das sie nicht mehr braucht. Fotos.

»Hier, schau, da bin ich vor zwei Wochen in New York.«

Sie zeigt mir Fotos, die sie mit einem jungen Mann auf dem Empire State Building zeigen. Der junge Mann heißt Felix, ist Steward bei der Swiss Air, erzählt sie, schwul und ihr »bester Freund«. Etwas später liest sie mir einen Brief vor, den Felix ihr geschrieben hat. Eine Liebeserklärung an seine Freundin Lizzi, die »Schokolade liebt und immer geringelte Strümpfe trägt«. Illi lacht, als sie das vorliest. »Ich trage immer geringelte Strümpfe, wusstest du das?« Sie streckt ein Bein in die Luft und zieht die Hose etwas hoch, tatsächlich, zum Vorschein kommt ein blau-grün gestreifter Strumpf.

Wie hat sie selbst den Holocaust überlebt?

»Was? Ich?«

Sie macht eine abwinkende Handbewegung, als wolle sie sagen, ach, das ist doch wirklich nicht so besonders interessant, aber na ja gut: »Da war ich drei Monate in England, und dann wieder zurück in Budapest, und dann kannte der Papá« – (sie spricht das Wort auf der zweiten Silbe betont aus wie Romy Schneider in »Sissi«) –, »dann kannte der Papá den Schweizer Konsul, und wir haben dann Schweizer Schutzpässe bekommen, und dann durfte ja niemand mehr zu uns in die Wohnung rein, und wir mussten dann aber weg. Und dann sind wir in die Schweiz. Meine Eltern wollten, dass ich eine Schweizer Banklehre mache.« Sie kneift die Augen zu und streckt die Zunge heraus. Offenbar findet sie diese Idee immer noch unmöglich. »Eine Banklehre! Ich!«

Ja, so ist das eben auch. Da tobt gerade der Holocaust, zu Hunderten und Tausenden werden Juden in Zügen nach Auschwitz abtransportiert und vergast – und andere kennen jemand, der ihnen falsche Pässe besorgt und streiten sich mit ihren Eltern über die ganz normalen Dinge des Lebens.

Sie spricht ein Deutsch, das es so eigentlich nicht mehr gibt. Es ist leicht österreichisch gefärbt, diese Hotel-Sacher-Portier-Sprachmelodie, bei der man sich mit Nachdruck auf die Vokale setzt, jedes A, jedes O wird angesteuert und kurz nicht mehr losgelassen, verstaubt und geziert klingt es, aber charmant. Sie sagt »Schuhfimmel« und »Lachkrampf«, und der Bösendorfer stand früher bei ihnen zu Hause im »Salon«.

Mein Vater hat mir erzählt, dass Illi in der Familie immer schon als etwas sonderbar galt. Man mochte sie, trank mit ihr Tee und war erleichtert, wenn sie wieder ging. Eine schrullige Person, die die Welt bereiste, statt Kinder zu kriegen, und es fertig brachte, in Paris zu leben, ohne auch nur einen Hauch von Eleganz auf sich übergehen zu lassen.

Wusste sie, dass mein Großvater in Mauthausen war?

»Wo?«

In Mauthausen, im KZ.

»Ich erinnere mich nur, dass er im Krieg war ... In Korea.«

Ja, aber das war viel später.

»Später, ja.«

Nein, ich meine im Zweiten Weltkrieg.

Eine Pause entsteht. Ich möchte ihr kein Gespräch aufzwingen, das sie nicht führen will. Vielleicht lebt es sich auch schöner lang, wenn man nicht so viel zurückschaut. Vielleicht weiß sie wirklich vieles nicht.

Ich hätte sie so gerne noch gefragt, wie meine Großmutter als junge Frau war, wie die Situation im Kommunismus für Juden war – jetzt, wo ich hier bin, merke ich, dass ich die Antworten, die ich mir erhofft hatte, nicht von ihr bekommen werde. Meine Großmutter sei so schön gewesen, sagt sie, sie sagt es mehrmals, so schön. Meine Urgroßeltern so lieb. Das Ende »so ein Schock«. Sie meint den Tod meiner Großeltern. Sie erzählt, dass sie mit meiner Großmutter manchmal bis spät in die Nacht Karten gespielt hat, Rommé. Um Geld. Sie lacht. Aber sie will lieber von Felix erzählen, ihrem Steward, mit dem sie als Nächstes in den Oman reisen will.

Ich springe noch einmal zurück. Bis wann hat sie in Berlin gelebt, frage ich.

»1936 sind wir weg. Du, da weiß ich einen Witz. Der ist aus dieser Zeit. Eine jüdische Familie will eine neue Haushaltshilfe einstellen. Da kommt eine, und gleich sagt man ihr, es tut uns furchtbar leid, aber wir müssen Ihnen sagen, Sie sind hier bei einer jüdischen Familie. Da sagt sie: Ach, ob jüdisch oder nicht, das ist mir ganz egal. Hauptsache, Sie sind arisch.« Sie lacht. »Aber ist es jetzt besser in Deutschland?«, fragt sie, plötzlich ernst.

Die Situation für Juden?

»Ja?«

Ja, also verglichen mit 1936 hat sich deutlich etwas gebessert, sage ich. Und schon wechselt sie wieder das Thema.

*

Wenn ich die Lebensgeschichte meiner Großeltern gliedern müsste, wäre das erste große Kapitel mit dem Ende des Zweiten Weltkriegs beendet. Das zweite wäre mit »Kommunismus« überschrieben und würde die Jahre 1945 bis 1956 umfassen. Ich weiß wenig über diese Jahre. Ungarn wandelte sich zum sozialistischen Staat, Warschauer Pakt, Eiserner Vorhang, so vage ist das für mich. Wahrscheinlich hätten meine Großeltern davon ausnahmsweise einmal erzählt, wenn ich danach gefragt hätte, aber ich habe nicht gefragt. Da haben sie halt in Ungarn gewohnt. Er war Arzt, sie Physiotherapeutin, mein Vater ein kleiner Junge, meine Tante ein kleines Mädchen. Sie wohnten in einer Wohnung, im Sommer waren Ferien, und abends gingen sie zu Bett. Was hätte ich groß fragen sollen.

In Zürich lebt eine Frau, Julia, genannt Julika, die Anfang der Fünfzigerjahre mit meinen Großeltern befreundet war. Ihr erster Mann, Tamás, von dem sie sich Mitte der Fünfzigerjahre scheiden ließ, war ein Jugendfreund meiner Großmutter – vielleicht war er sogar mal mit ihr zusammen, das weiß sie nicht, es habe sie nicht interessiert, sagt sie mir am Telefon, denn was auch immer gewesen sei, war lange vorbei, bevor sie mit ihrem Mann zusammenkam und meine Großmutter mit meinem Großvater. Zusammen mit einem weiteren Ehepaar bildeten sie und ihr Mann einen kleinen Budapester Freundeskreis, eine Drei-Familien-Clique. Sie lebten nur fünf Gehminuten voneinander entfernt im Zentrum Budapests, in der Nähe der Oper. Alle drei Männer waren Ärzte – einer Zahnarzt, einer Allgemeinarzt, einer Orthopäde –, jedes Paar hatte zwei kleine Kinder ungefähr im gleichen Alter. Und alle drei Männer waren Mitglieder der Kommunistischen Partei.

Ich frage sie, ob sie glaube, dass mein Großvater ein überzeugter Kommunist gewesen sei.

»I wo«, sagt sie (und sie sagt wirklich i wo). An irgendwelche Ideale habe doch keiner geglaubt, »jedenfalls nicht in diesen Kreisen«. Man sei aus reinem Opportunismus in die Partei eingetreten, weil man die Hoffnung hatte, dadurch arbeiten zu können und in Sicherheit zu sein.

Ich frage sie, ob dabei eine Rolle spielte, dass alle drei Juden waren. Ich hatte gelesen, dass Juden in Ungarn auch nach Ende der deutschen Besatzung als Bürger zweiter Klasse galten.

»Weißt du«, sagt sie, »wir haben nie von so etwas gesprochen. Wir haben alle unsere Geschichte gehabt. Heute machen sie immer so eine Sache daraus, wenn jemand vergewaltigt wurde. Ich wurde von sieben russischen Soldaten vergewaltigt. Ich war damals schwanger, und man hat es schon gesehen, und sie haben aufgepasst, dass dem Baby nichts geschieht. Ich habe nichts machen können. Es gab keine Zeugen. Wir haben damals solche Themen vermieden. Für uns hat das Leben 1945 angefangen.«

War es ein gutes Leben, das neue?

»Ja«, sagt sie. »Es ging uns gut.« Sie erzählt, dass sie damals oft Ausflüge gemacht hätten. Alle drei Familien besaßen ein Auto, schicke Autos seien das gewesen, nicht viele Ungarn hätten sich solche Autos leisten können, und mit denen seien sie dann aufs Land gefahren. Und wenn sie dann mittags irgendwo einkehren wollten, hätte man ihnen oft gesagt, nein, leider, zu essen gäbe es nichts, nein, nicht einmal Eier könne man ihnen anbieten. »Wir haben dann immer gesagt, das Land ist aber wirklich schrecklich arm«, erzählt sie, »nicht einmal Eier gibt es, was für eine Tragödie.« Erst viel später, vor ein paar Jahren erst, sei ihr der Verdacht gekommen, dass es wahrscheinlich sehr wohl Eier gab – man hatte sie ihnen nur nicht servieren wollen, diesen offensichtlichen Parteimitgliedern, die da so bonzig vorfuhren mit ihren teuren Autos und hübschen Kindern und Kleidern.

»Wir waren naiv«, sagt sie, »vor allem wir Frauen haben uns gar nicht für Politik interessiert.« Sie erinnert sich nur an ein einziges Mal, dass überhaupt irgendjemand in ihrer Umgebung negativ über die Kommunisten gesprochen habe. Ein deutscher Architekt, der am Bau des neuen Innenministeriums beteiligt war. Der habe erzählt, dass die Regierung im Kellergeschoss eine Öffnung zur Donau habe einbauen lassen, durch die man Folteropfer spurlos verschwinden lassen könne. Sie hätte sich damals gewundert, dass der das so offen erzählt, weiter habe sie nicht gedacht.

Sie weiß also nicht, wie meine Großeltern politisch dachten?

»Es gab damals einen Witz: ›Treffen sich zwei Ungarn. Sagt der eine, du, ich gehe jetzt ins Seh-Hör-Institut. Sagt der andere, aha, und was ist das? Darauf der eine: Ja, ich hoffe, die können mir dort helfen – denn ich sehe nicht, was ich höre.‹«

Darüber hätten sie damals in Budapest gelacht.

*

Das hat mir mein Vater über seine Kindheit in Ungarn erzählt:

Die Wohnung am Oktogon hatte fünf große Zimmer, die mit Öfen beheizt wurden. Es gab einen Balkon oder

Rundgang im Freien zum Innenhof, von dem ich nicht so richtig verstanden habe, wie er sich zur Wohnung verhielt, jedenfalls war er von der Küche aus zugänglich und nicht überdacht. Eins der Zimmer hatte sich mein Großvater als Praxis eingerichtet. Er war Oberarzt am Budapester János Kórház (Sankt Johannes Krankenhaus), zu seiner privaten Sprechstunde kamen viele Patienten vom Land. Sie zahlten in Naturalien, und so lebten meistens ein paar Hühner und Hasen auf dem kleinen Innenhof.

Ob meine Großmutter auch gearbeitet hat, weiß mein Vater nicht mehr. Er erinnert sich nicht, was sie tagsüber gemacht hat – vielleicht war sie einkaufen, sagt er. Aber – jeden Tag? Illi meint, doch natürlich, meine Großmutter habe als Physiotherapeutin gearbeitet und am Wochenende auch noch als Dolmetscherin und Fremdenführerin – »sie konnte doch so gut Französisch und Deutsch«.

Sie hatten ein Kindermädchen, das jeden Tag zu ihnen nach Hause kam, und eine Köchin, die bei ihnen wohnte und auch die Wäsche machte, wofür sie immer in den Waschkeller ging. Mein Vater sagt, Kindermädchen seien in Budapest damals vollkommen normal gewesen, alle hätten eines gehabt. Eine Jugendfreundin meiner Tante, die heute zufällig auch in München lebt, widerspricht dieser Ansicht. Keineswegs hätten in Budapest alle Familien Kindermädchen gehabt, und auch keine Köchin. Sie zum Beispiel sei ohne Personal aufgewachsen, und ihr Vater war ein angesehener Architekt. (»Aha«, sagt mein Vater nur, als ich ihm das erzähle.)

Mein Vater erinnert sich an Sommerferien in Csillaghegy, einem kleinen Strandbad in der Nähe von Budapest, in dem Familien bequem die Sommermonate verbringen konnten. Ein umzäuntes sozialistisches Ferienparadies, in dem die Kinder unbeaufsichtigt in Badehosen herumtobten, sich die Mütter am Schwimmbad kennenlernten, und die Väter am Wochenende oder abends nach der Arbeit mit der Bahn zu Besuch kamen.

Mein Großvater besaß ein Auto der Marke DKW, es war groß und schwarz. Davor hatte er einen Adler besessen, hat mir Klarí erzählt, Erzsis Tochter. Er war der erste Mensch, den sie kannte, der ein Auto fuhr. Damals sei ganz Budapest noch zu Fuß unterwegs gewesen oder mit der Straßenbahn, die immer so überfüllt gewesen sei, dass sich die Leute auch von außen an ihr festhielten.

Wirklich gute Freunde meiner Großeltern durften unangemeldet abends vorbeikommen. Sie hätten dann Karten gespielt, bis tief in die Nacht, erinnert sich mein Vater, natürlich nur die Erwachsenen.

Zweimal die Woche ging meine Großmutter mit ihm zum Eislaufen. Sie saß frierend in den Zuschauerrängen, während er lernte, rückwärts zu fahren und Pirouetten zu drehen. Sie hätten das nicht zum Spaß gemacht, sagt mein Vater, sondern damit er später einmal würde reisen können – »damit ihr Kinder eine Zukunft habt«. Als Spitzensportler durfte man ja aus Ungarn ausreisen. Irgendwann hätten sie beide keine Lust mehr auf Eislaufen gehabt, sie hätten es dann mit Fechten probiert. Irgendwann gaben sie auch das auf.

Mein Vater erinnert sich auch noch an seine Großeltern,

die Eltern meines Großvaters. Sie hießen Frida und Sándor und wohnten fünf Gehminuten vom Oktogon entfernt, am vielbefahrenen Lenin-Ring, der ein paar Jahre vorher noch Elisabeth-Ring geheißen hatte. Im Erdgeschoss des Hauses befand sich Sándors Buchhandlung. Er sei lange krank gewesen, sagt mein Vater, und habe immer im Bett gelegen, in einem abgedunkelten Raum. Als er 1949 starb, war mein Vater fünf Jahre alt, man weiß also nicht, was genau er unter »lange« versteht. Seine Frau Frida besaß eine Tanzschule, was für eine Frau in der damaligen Zeit sehr fortschrittlich war. Ihre Schule war in ganz Budapest bekannt. Mein Vater wird heute noch von Ungarn angesprochen, die als Kinder bei ihr Unterricht hatten. Tánci-Néni nannte man sie, Tanz-Tante. Sie war klein und stämmig, und mein Vater beschreibt sie dem Wesen nach als rechthaberisch und egoistisch – eine Erinnerung, die durchaus von meiner Großmutter geprägt sein könnte, die ihre Schwiegermutter nicht leiden konnte. Und umgekehrt.

Es gibt ein Foto meiner Urgroßeltern, das 1928 in New York aufgenommen wurde, im Norden Manhattans, Riverside Drive, Ecke 113. Straße. Dort wurde an jenem Tag die Statue eines ungarischen Freiheitskämpfers enthüllt, Lajos Kossuth. Es scheint eine große Sache gewesen zu sein – Sándor und Frida reisten eigens für diesen Anlass mit dem Schiff nach Amerika. Auf dem Foto posieren sie, als würde eben die Nationalhymne gespielt: die kleine untersetzte Frida, das Kinn hoch gereckt, einen Fuß so graziös vor den anderen gestellt, wie es sich für die Besitzerin einer Tanzschule gehört. Neben ihr Sándor, der so würdevoll guckt, als würde gleich seine eigene Statue enthüllt. Ganz aufrecht steht er da, Hände an den Oberschenkeln, Einstecktuch im dunklen Blazer, der Buchhändler vom Elisabeth-Ring, der bis ans andere Ende der Welt gereist war, um seiner Vaterlandsliebe Ausdruck zu verleihen.

*

Ob sie sich freuen würden, wenn sie wüssten, dass sie eine Urenkelin haben, die an einem eiskalten Wintertag einmal quer durch New York fährt, um sich vor dieser Statue fotografieren zu lassen? Vielleicht würden sie sich eher wundern. Es ist Sonntag, es ist Vormittag, es ist Januar. Während jeder normale Mensch noch im Bett liegt oder eben darüber nachdenkt, ob er zum Frühstücken in ein Café gehen soll, mache ich mich auf den Weg. Ich muss dafür einmal durch die ganze Stadt, was nicht nur wahnsinnig lange dauert, sondern auch unglaublich kalt ist, weil es in der U-Bahn zieht und ich auch noch eine Station zu früh aussteige und dann mehrere Blocks gegen den eiskalten Wind anlaufen muss. Unterwegs denke ich mehrmals daran, umzukehren. Aber ich fühle mich irgendwie verpflichtet und gehe weiter. Block für Block für Block.

Ich erkenne die Statue schon von weitem. Sie ist sehr hässlich, ein Mann mit einem langen Mantel steht auf einem Sockel, ihm zu Füßen zwei weitere Figuren, ein

74

Soldat und ein alter Mann. *Kossuth* steht groß auf dem Stein, *the great champion of liberty*. Ich kenne sie von dem Foto mit meinen Urgroßeltern. Ich kenne sie von einem Foto mit meinen Großeltern, die sich hier 1982 haben fotografieren lassen. Und ich selbst war auch schon einmal hier. 1990, zusammen mit meinem Vater. Damals, immerhin, war es ein warmer Tag gewesen, wie man an dem Foto sehen kann, das wir vor der Statue mit Selbstauslöser von uns gemacht haben. Ich trage ein T-Shirt und eine Sonnenbrille mit kleinen runden Gläsern, von der mir niemand gesagt hatte, dass sie mir nicht steht.

Heute trage ich eine dicke Winterjacke und eine Mütze, von der ich mir selbst sagen kann, dass sie mir nicht steht, aber was soll ich machen, sie ist warm. Ich weiß nicht, wie der Selbstauslöser meiner Kamera funktioniert. Also frage ich einen Passanten, ob er mich freundlicherweise vor der Statue fotografieren würde. Sein Blick geht von mir zur Statue und wieder zurück zu mir. »Sorry«, sagt er, »I'd rather not.« Er geht weiter, und ich kann ihn verstehen. Er hält mich bestimmt für eine nationalistische Spinnerin. Der Nächste, der vorbeikommt, ist dann so freundlich. Auf dem Bild, das er gemacht hat, sehe ich aus wie eine nationalistische Spinnerin: irres Grinsen im Gesicht, neben mir eine gusseiserne Soldatenfigur. Mein Vater freut sich trotzdem, als ich es ihm maile.

*

Mein Vater und meine Tante haben meinen Großvater oft gebeten, sein Leben aufzuschreiben. Sie hofften,
vielleicht auf diesem Weg etwas über all das zu erfahren,
worüber er nie sprach, vor allem über seine Zeit im KZ, die
sie sich – sie wussten ja nichts – womöglich noch schlimmer vorstellten, als sie gewesen war. Und eines Tages, sie
hatten längst nicht mehr damit gerechnet, am 23. Juli 1986
setzte er sich tatsächlich hin – und begann.

»So oft habt ihr mich gebeten, meinen Lebenslauf zu
beschreiben, dass ich mich heute an meinem 77sten Geburtstag hinsetze und versuche euch zufriedenzustellen.«
So beginnen seine Aufzeichnungen, die insgesamt siebeneinhalb eng beschriebene DIN-A5-Seiten umfassen.
Er hat sie mit Füller auf den Werbeblock einer Firma für
medizinisches Gerät geschrieben, merkwürdigerweise auf
Deutsch.

»Am 23. Juli 1909 wurde ich in Zalaegerszeg – eine
Kleinstadt im westlichen Ungarn – geboren. Meine Eltern
und Großeltern von beiden Seiten haben dort niemals
gewohnt. Die Ursache bezüglich dieses so wichtigen Ereignisses meines Lebens ist folgende: Mutters beste Freundin – Dr. Malvin Kovács –, eine der ersten weiblichen Ärzte
in Ungarn, lebte dort und sollte Mutters Geburtshelferin
sein. Die Zeremonie, die jüdische Buben sonst von einem
Schlachter nach rituellen Vorschriften erdulden mussten,
hat diese Ärztin auch ausgeübt: als eine kleine Operation,
doch wahrscheinlich ohne Anästhesie.«

Warum er für seine Lebenserinnerungen ausgerechnet
die deutsche Sprache wählte? Er hatte es in der Schule ge

lernt und während seines Medizinstudiums perfektioniert, das er wegen der strengen ungarischen Judengesetze in Wien absolvierte. Sein Deutsch war ein wenig umständlich und klang manchmal, als wäre es eine wörtliche Übersetzung aus einer anderen Sprache, was es ja vielleicht auch war. Gelegentlich verwechselte er die Fälle, rief jemandem an oder wünschte jemanden alles Gute. Statt »anrufen« sagte er »antelefonieren«, statt »parken« »parkieren« – altmodisch klang das und wie aus einer anderen Welt.

Besonders weit ist er in seinen Aufzeichnungen nicht gekommen. Sein Bericht endet mitten in irgendeinem Nebensatz, und da ist er noch nicht einmal in der Schule. Was er geschrieben hat, besteht in der Hauptsache aus einer Aufzählung aller Verwandten. Eltern, Großeltern und Urgroßeltern werden ausführlich vorgestellt, aber auch Cousins und Cousinen ersten und zweiten Grades mit Namen, Beruf und Charakter, es treten auch ein paar alleinstehende Tanten auf und ein Ping-Pong-Champion, der aus einer Liaison eines Onkels mit der Haushälterin hervorging.

Und doch erzählt sein Bericht mehr über ihn, als er selbst es jemals getan hat. Denn es ist eine durch und durch jüdische Familiengeschichte: Die Buchhandlung seines Vaters wurde wegen der Judengesetze enteignet; zwei Cousins starben beim Zwangsarbeitsdienst jüdischer Männer; einige Verwandte wurden in Auschwitz vergast. Die Familie seiner Mutter hieß Mayersberg und brachte einige jüdische Gemeindevorstände hervor. Mittendrin kommt unvermittelt ein längerer Absatz über die Geschichte der Juden in

Ungarn, lexikalisch genau. (»Die Kasaren waren ein asiatischer Stamm jüdischer Religion, die sich während der Völkerwanderung den Ungarn angeschlossen hatten, noch bevor sie im Jahre 895 das Karpatenland eroberten …«)

Und er schreibt, dass er aus einer Familie stamme, die sich als Ungarn jüdischer Religion gefühlt hätten. Eine Familie assimilierter Juden. Schon sein Vater hätte nie einen Sederabend gehalten, schreibt er, und erklärt gleich darauf, was es damit auf sich hat: »Das ist das Fest, an dem jüdische Familien beim Ältesten zum Abendessen zusammenkommen, um mit Gesängen, Erzählungen und ganz bestimmten Zeremonien die Befreiung der Juden vom ägyptischen Sklaventum – jedes Jahr am Pessach, Ostern – feiern.« Offensichtlich geht er davon aus, dass seine Kinder, damals beide um die vierzig Jahre alt, noch nie von einem Sederabend gehört haben. An seinem 77. Geburtstag erzählt er ihnen also zum ersten Mal etwas über jüdische Tradition, über die Tradition seiner Familie, wenn auch nur in schriftlicher Form. Er hat sie vollkommen ferngehalten von diesem Teil seines Lebens, der offenbar so viel größer war, als er tat.

Wenn ich ganz ehrlich bin, macht mich das nicht nur traurig, es macht mich sogar ein bisschen wütend. Denn auch mir hat er dadurch einen Teil meiner Identität gestohlen, meinem Selbstverständnis das Selbstverständliche genommen, mir eine Lücke vererbt, die mir wie ein Geheimnis erscheint. Mir fehlt ein Stück von mir. Ich vermisse etwas und weiß nicht einmal genau, was.

So schade, dass etwas verschwindet.

Und noch mal Paris. Im XVI. Arrondissement wohnt eine Freundin meiner Großeltern, Hélène. Sie ist 94 Jahre alt, tadellos frisiert, am Oberkopf sind die Haare, die die Farbe von Herbstlaub haben, antoupiert, hinten zu einem Kissen zusammengebauscht, ihre Lippen sind korallenrot bemalt, und ihre riesenhafte, getönte Hornbrille halte ich zunächst für den Ausdruck eines exzentrischen Geschmacks. Erst als sie in einem Nebensatz erwähnt, dass sie so gut wie nichts mehr sieht, wird mir klar, dass es tatsächlich eine Sehhilfe ist.

Hélène und ihr Mann, der 1983 gestorben ist, waren sehr gut mit meinen Großeltern befreundet. Sie lernten sich 1949 bei einem Ärztekongress in Budapest kennen. Französische kommunistische Ärzte tauschten sich mit ungarischen kommunistischen Ärzten aus, und weil alles so wahnsinnig freundschaftlich war, durften abends auch die Ehefrauen mit. Es war Zufall, dass sie am selben Tisch saßen, meine Großeltern und das französische Ärztepaar – er war Endokrinologe, sie Psychotherapeutin –, Hélène sagt, sie hätten sich sofort angefreundet. »Es hat gepasst«, sagt sie. »Tout était clair.«

Hélène und ihr Mann veranlassten, dass meine Großmutter für die Dauer ihres Aufenthalts in Budapest zu ihrer offiziellen Dolmetscherin ernannt wurde. Wann immer es etwas in der Stadt zu besichtigen galt oder einen Vortrag zu verstehen, übersetzte meine Großmutter für sie. Die Frauen mochten sich, und die Männer mochten sich auch, und, ja, es passte wohl.

Vielleicht haben sie für meine Großeltern die weite Welt

verkörpert, die von Ungarn aus damals wahrscheinlich noch weiter wirkte, als sie tatsächlich ist. Ende des Jahres 1949 durfte mein Großvater nach Frankreich reisen. Mit Erlaubnis oder auf Wunsch der Kommunistischen Partei wurde er Assistant étranger de la Faculté de Médecine de Paris. Ein Fortbildungsjahr, ein ganzes. Ob er sich lange mit meiner Großmutter besprechen musste? Oder schien es auf Anhieb eine gute Idee? Jedenfalls entschieden sie, dass meine Großmutter ihn begleiten würde, zumindest für eine Zeit. Insgesamt verbrachte sie dann sechs Monate zusammen mit meinem Großvater in Paris. Ein halbes Jahr ohne die Kinder, die sie zu Hause in Budapest in der Obhut des Kindermädchens ließ. Mein Vater war fünf, meine Tante zwei Jahre alt. Und wären nicht beide ausgerechnet dann an Kinderlähmung erkrankt, meine Großmutter wäre noch länger fortgeblieben. Ich kenne keine Frau mit kleinen Kindern, die ein halbes Jahr ohne sie wegfahren würde. Ich kenne allerdings auch keine Frau, die noch unter 30 ist und einen Krieg überlebt hat. Wahrscheinlich war ihr Hunger nach Leben, nach Schönheit, nach Glanz größer, als ich mir das vorstellen kann.

Hélène wohnt in einem klassizistischen kleinen Haus, das aussieht, als ob es seit mindestens hundert Jahren unter Denkmalschutz steht. Wo man hinsieht Ziermöbel, Blumenornamente, Porzellanteller – die Tapeten sind aus Seide, die Schränke alt und mit Intarsien versehen. Aus der Küche, die neben dem Wohnzimmer liegt, sind Kochgeräusche zu hören, ein Topfdeckel klappert, eine Abzugshaube braust. Etwas später wird die Hausangestellte das

Essen servieren. Vier Gänge wird es geben für »Madame Hélène« und ihren Gast, den finalen Schokoladenkuchen nicht mitgezählt.

Hélène redet viel und schnell und lacht am lautesten über sich selbst. Sie trägt eine schicke Bluse, Schlangenlederschuhe mit Schleife daran, und ihr Lippenstift löst sich erst kurz vor dem letzten Gang in Luft auf. Ich kann verstehen, dass meine Großmutter sie mochte. Hier sitzt eine Frau, die ihr gewachsen ist. Nur wenige Frauen ihres Alters könnten solch getönte Riesengläser mit dieser Selbstverständlichkeit tragen, oder mit einer solchen Gleichmut Speisereste im Mund sammeln und auf den Teller spucken, ohne dabei mit der Wimper zu zucken, geschweige denn sich im Redefluss zu unterbrechen.

Neben ihrem Telefon, einem altmodischen Apparat mit Wählscheibe und Kabel, steht ein gerahmtes Foto meiner Großeltern. Ich kenne es. Es wurde wenige Jahre vor ihrem Tod bei einer Kreuzfahrt durchs Nordmeer aufgenommen. So wie sie aussehen, könnte es beim Captain's Dinner entstanden sein: Mein Großvater trägt einen weißen Smoking, meine Großmutter Goldschmuck zum grauen Seidenkleid. Sie hat sich eine grüne Schleife um die Taille gebunden und strahlt ihren Mann genauso von der Seite an wie auf ihrem Hochzeitsbild.

»Ich denke jeden Tag an sie«, sagt Hélène, als sie bemerkt, dass ich das Foto betrachte. Und dann sagt sie, dass sie sich schreckliche Vorwürfe mache, weil sie meiner Großmutter nicht angeboten habe, dass sie bei ihr leben könne, wenn mein Großvater stirbt. Sie hätte ihr das oft sagen wollen, bei jedem Telefonat habe sie es vorgehabt. Aber dann sei mein Großvater immer im Hintergrund gewesen und sie hätten nie frei sprechen können. »Und dann war es zu spät.« Nach einer kurzen Pause sagt sie. »Vera hatte so große Angst davor, nach Pistas Tod alleine zu sein. Vor allem in Dänemark!«

Surtout au Danemark? Hatte meine Großmutter Dänemark am Ende doch nicht so gern? Hat sie mit der schicken Pariserin Hélène über die Dänen gelästert? Ich kann es mir vorstellen. Aber ob die Aussicht auf ein Zimmer im XVI. Arrondissement sie von ihrem Entschluss abgebracht hätte? Ich bezweifle es.

Wie hat sie, Hélène, meine Großeltern erlebt?

»Vera war sehr schön«, sagt sie. Das fällt offenbar jedem Menschen als Erstes zu ihr ein. »Sie war extrovertierter als Pista, redete mehr. Er ließ einen nicht so an sich heran. Vielleicht hatte es mit seinen Erfahrungen zu tun.«

Welche Erfahrungen meint sie genau?

»Mauthausen, er war ja im Konzentrationslager.«

Er hat davon erzählt?

»Er hat es erzählt. Keine Details natürlich. Aber dass er da war.«

Wann hat er davon erzählt?

»Na, gleich. Als wir uns kennenlernten.«

Am ersten Abend?

»Ja. Ich meine schon.«

Das ist ungewöhnlich, er hat sonst nicht darüber geredet.

»Wir haben uns alles erzählt. Wir hatten viel gemeinsam. Wir hatten alle gerade Schlimmes erlebt. Vera hat ihre Eltern verloren, mein Vater starb in Auschwitz.«

Sie haben erzählt, dass sie Juden sind?

»Natürlich.«

Am ersten Abend gleich?

»Ja.«

Was hatte Hélène eingangs gesagt – »tout était clair« –, alles war klar. Sie saßen zufällig an einem Tisch, zwei Ehepaare, Juden, die gerade, vor Kurzem erst, dem Tod entkommen waren, knapp, sie alle, in Ungarn, Österreich und Frankreich. War es das, was sie vor allem verband? War deshalb alles klar? Weil sie Juden waren, europäische Juden?

*

Ich habe einmal zusammen mit meinen Eltern und Großeltern beim Abendessen vor dem Fernseher eine Reportage über Hitler auf dem Obersalzberg gesehen. Es war vielleicht 1989 oder 1990, meine Großeltern waren bei uns in München zu Besuch, und es war eine dieser »Spiegel-TV«-Reportagen, die so gerne neu entdecktes historisches Bildmaterial zum Thema haben. Diesmal war die Sensation, dass Filmmaterial vom Obersalzberg, einige der Aufnahmen stammten von Eva Braun, nachkoloriert worden war. Da war dann in blassen Pastelltönen zu sehen, wie Hitler seinen Schäferhund herzte, wie Eva Braun ein Rad schlug, und die Kinder irgendwelcher Nazis auf der Terrasse ein Eis aßen. Ich fand das alles sehr interessant. So also hatten diese Menschen gelebt, so hatten sie in Farbe ausgesehen. Endlich, dachte ich, kann man sich das alles einmal besser vorstellen, versteht man, dass das alles wirklich im selben Jahrhundert geschehen war, in dem man auch lebte.

Meine Großeltern sagten die ganze Sendung über kein Wort. Ich saß ganz nah vorm Fernseher und wagte es nicht, mich nach ihnen umzudrehen, irgendwie hatte ich ein seltsames Gefühl. Ich wusste nicht, wie sie es fanden, dachte aber, da sie ja sitzen blieben und niemand umschaltete, es interessiere sie wohl auch. Als die Sendung zu Ende war, war ich es, die als Erste etwas sagte. »Schon interessant, oder?« Ich sagte es möglichst neutral in den Abspann hinein und drehte mich dabei mit einem sachlichen Gesichtsausdruck zu den anderen. »Ja?«, sagte meine Großmutter. »Das finde ich nicht. Warum soll es jemanden interessieren, wie Hitler privat war?« Sie stand auf, sammelte die Teller ein und verschwand in die Küche. Mein Großvater sagte nichts, und ich schämte mich.

*

Wie so viele jüdische Geschichten handelt auch die der Familie meines Vaters vom aussichtslosen Versuch, dazuzugehören. Der Vater meines Großvaters, der Besitzer der Buchhandlung am Elisabeth-Ring, wurde noch als Samuel Adler geboren. Weil deutsche Namen in Ungarn aber auf einen jüdischen Träger hindeuteten, entschied er sich – sicherer ist sicherer – den Namen zu ungarisieren, aus Samuel wurde Sándor, aus Adler Adorján. Meine Großmutter hat sich nach dem Krieg taufen lassen, zusammen mit ihren Kindern, und wurde damit offiziell zur Protestantin – zur atheistischen Protestantin, um genau zu sein. (Es hätte genauso gut eine Katholikin aus ihr werden können, aber die evangelische Kirche war zufällig näher gelegen.) Mein Großvater trat nie offiziell aus dem Judentum aus, wobei auch nicht hinreichend geklärt ist, von höchsten Stellen nicht, ob das überhaupt geht. Und wenn, ob das auch vor einem selber gilt.

Eher nicht, so kommt es mir vor.

Dafür, dass meine Großeltern so taten, als interessiere sie ihr eigenes Jüdischsein nicht, interessierten sie sich umso mehr für das von anderen. Meine Tante hat mir erzählt, dass meine Großeltern untereinander viel darüber sprachen, ob jemand jüdisch ist, also einer der ihren. Ist das einer von den »Nostras«, überlegten sie, das war ihr Code dafür, ist das einer von uns. Als ob man jemandem anmerken kann, dass er jüdisch ist. Als ob man es riechen kann.

Meine Tante hat mir auch erzählt, wie meine Großeltern reagierten, als sie erfuhren, dass mein Vater sich in meine Mutter verliebt hatte. Sie hätten beim Abendbrottisch lange darüber gerätselt, was ihr Vater wohl im Krieg gemacht hatte, ob er ein Nazi gewesen war oder nicht. Später, als sie die Eltern meiner Mutter kennenlernten und die beiden Großväter in Heidelberg vierhändig Klavier spielten, seien sie zu der Ansicht gelangt, es sei wohl alles okay. Aber dass mein Vater sich ausgerechnet in eine Deutsche verlieben musste?

Als ich einmal mit meinen Eltern und Brüdern in Israel war, 1994 war das, wurde mein Vater bei unserer Ausreise vom Sicherheitsbeamten am Flughafen gefragt, ob er jüdisch sei – die Namen seiner Kinder, Johanna, Dávid, Gabriel, alle hebräischen Ursprungs, legten die Vermutung nahe. Zu unserer allgemeinen Überraschung sagte mein Vater, das wisse er nicht. Ihm war von seiner Mutter so oft eingeschärft worden, dass es lebensgefährlich ist, Jude zu sein, dass er es sogar in Israel vorzog, Vorsicht walten zu lassen.

*

Vor kurzem flog ich mit einer israelischen Fluggesellschaft nach Israel, und beim Einsteigen bemerkte ich, dass die meisten Fluggäste bereits saßen, Berlin war wohl nur ein Zwischenstopp auf ihrer Reise. Viele der männlichen Passagiere trugen eine Kippa auf dem Kopf, so auch der rothaarige Amerikaner neben mir, den ich sofort sehr mochte, auch wenn wir den ganzen Flug über nicht mehr miteinander sprachen als »excuse me« und »thank you«. Es waren Passagiere aus der ganzen Welt. Ich hörte Englisch, Italienisch, Französisch und Russisch. Niemand beachtete mich weiter, ich kannte niemanden, und doch fühlte ich mich auf eine merkwürdige Weise wohl. In meinem Kopf formte sich ohne mein Zutun der Satz: Ach hier seid ihr alle.

Seltsam, nicht zu erklären, aber hier, zwischen all diesen fremden Menschen, die höchstwahrscheinlich alle Juden waren, zumindest die meisten, hier fühlte ich mich zu Hause. Das Gefühl ließ mich auch nach der Landung nicht los und sollte mich die nächsten Tage begleiten. Mitten in dem wahrscheinlich unsichersten Land der Welt fühlte ich mich auf eine merkwürdige Art sicher. Ruhig. Viel ruhiger als sonst. Ach, hier seid ihr, dachte ich, und fühlte mich zu Hause. In einem Land, dessen Klima mir nicht liegt, dessen Sprache ich nicht spreche und dessen Schrift ich nicht lesen kann.

Auf dem Rückflug saß ich dann zwischen lauter älteren israelischen Ehepaaren. Ich verstehe kein Hebräisch und kann deshalb nicht sagen, was sie miteinander besprochen haben, aber es wurde die ganze Zeit, eigentlich den ganzen fünfstündigen Flug über ohne Unterbrechung geredet. Es waren eher die Frauen, die redeten. Es schienen auch weniger Unterhaltungen zu sein, die Frauen redeten vielmehr auf ihre Männer ein. In einem leicht ungehaltenen Tonfall, der ihre Männer aber nicht zu stören schien. Hin und wieder, wenn sich eine Entgegnung wohl nicht vermeiden ließ, brummten sie irgendetwas, sonst verhielten sie sich ruhig. Auf diesem Flug dachte ich, wie nett so knorrig alt gewordene Ehepaare doch waren. Wie sympathisch, dass sie auf ihren Meinungen beharrten, dass sie sich anstellten, schwierig waren, anstatt eine gehorsame Menge zu bilden. Gleichzeitig natürlich wahnsinnig anstrengend, neben einem solchen Ehepaar einen langen Flug zu verbringen. Alle zehn Minuten, und ich übertreibe kaum, musste ich, die ich den Gangplatz hatte, aufstehen, weil sich die Frau die Beine vertreten wollte, nach vorne laufen, um mit einer Bekannten zu plaudern, oder weil sie fand, ihr Mann müsse aufs Klo. Am Anfang entschuldigte sie sich dafür, und ich sagte, »no problem«, irgendwann ließen wir es. Sie stieß mich an, ich machte Platz, kurz vor der Landung hatte ich das Gefühl, wir seien Freundinnen.

Mich erinnerte das sehr an meine Großeltern. Ich konnte sie mir gut vorstellen auf einem solchen Flug. Am Fenster meinen Großvater, der wahrscheinlich gerne gelesen hätte, von den Bemerkungen meiner Großmutter aber daran gehindert wurde. Sie hätte die Enge der Sitze beanstandet, die Stimme des Piloten sympathisch gefunden, die zu kurzen Röcke der Stewardessen kommentiert. Und wahrscheinlich hätte sie mit diesen ebenso lange darüber diskutiert wie die Frau, die auf dem Israel-Airlines-Flug neben mir saß, ob es denn wirklich nicht möglich sei, schnell noch auf die Toilette zu gehen, wo das rote Lämpchen doch eben erst angegangen war. Oder wenigstens noch einen Kaffee? Turbulenzen? Aber das mache doch nichts. Man würde den Becher schon halten können. Das sei gegen die Vorschrift? Also bitte, ein Becher Kaffee. Pista, Sie auch? Also zwei.

Ist das typisch jüdisch? Dieses ewige Diskutieren, zu dem ich auch neige, zum Leidwesen vieler, denen ich widerspreche, einfach so, um zu gucken, wie weit ich komme. Gibt es das überhaupt: typisch jüdisch?

Meine jüdischen Freunde – ich habe ein paar – sagen Ja. Sie sagen, du magst keine Natur, bleibst gerne in der Stadt? Typisch jüdisch. Du findest immer noch ein Andererseits? Typisch. Du bist kompliziert mit Essen, hasst

Reisen, hättest gerne jeden Tag im Jahr das gleiche gemä-
ßigte kontinentale Wetter? Typisch. Ich habe meine jüdischen Freunde allerdings im Verdacht, es unter gewissen
Umständen auch typisch jüdisch finden zu können, besonders viel scharfen Wasabi in die Sojasauce zu rühren,
auf Aspirin C allergisch zu sein oder ungern zu reiten.
Und vielleicht ist es ja gerade typisch jüdisch, alles typisch
jüdisch zu finden.

Ob es wohl typisch jüdisch ist, sich umzubringen, wenn
man den Holocaust überlebt und danach beschließt, selbst
über sein Sterben bestimmen zu wollen? Viele KZ-Über-
lebende haben später Selbstmord begangen, Primo Levi
ist nur der bekannteste. Ein anderer, der es getan hat – er
überlebte den Krieg in England –, ist der ungarische Journalist und Schriftsteller Arthur Koestler, meine Großmutter hatte seine Bücher sehr gern. 1983 nahm er sich mit
seiner Frau das Leben, ungarische Juden, ein Ehepaar.

Oder ist es typisch ungarisch?

Weltweit haben Ungarn prozentual eine der höchsten
Selbstmordraten. Gibt es so etwas wie eine ungarische
Seele, die am Leben nicht besonders hängt? Ist es ein Zufall, dass es ein Ungar war, Rezsö Seress, der 1933 ein Lied
komponierte, das so hoffnungslos traurig war, dass es eine
Selbstmord-Welle auslöste? Europaweit sollen sich über
hundert Menschen zu den Klängen seiner Melodie das
Leben genommen haben: »Gloomy Sunday« hieß es, düsterer Sonntag: »On my last Sunday, beloved, oh come to
me.« Der Komponist stürzte sich 1968 vom Dach seines
Hauses in den Tod.

Allerdings muss man auch sagen: Die meisten Ungarn bringen sich nicht um.

*

Der Himmel über Kopenhagen ist von einem strahlenden Kobaltblau, an den Bäumen leuchten die Blätter in allen Schattierungen von Rot und Gelb. In der Sonne ist es so warm, dass sogar eine Fliege wiederauferstanden ist, sie hat sich ins Innere des Wagens verirrt, den mein Großvater gerade aus der Garage fährt, einen braunen Toyota mit hellen Ledersitzen, und da summt sie jetzt gegen die Fensterscheibe und sucht verzweifelt einen Weg hinaus. Meine Großmutter sitzt auf dem Beifahrersitz, ihr zu Füßen der Hund, den sie an der Leine hat. Sie trägt einen Lodenmantel, den sie sich vor Jahren mal in einem Trachtengeschäft in München gekauft hatte, er ist aus schwarzer Wolle und rot abgesteppt, ihre üblichen festen hellen Schuhe und einen Seidenschal. Vor ihr auf der Ablage liegt ein Päckchen, auf dem Rücksitz der Hundekorb.

Mein Großvater hat sich umgezogen und trägt jetzt einen Anzug aus grobem Tweed, der ihm in den letzten Monaten viel zu groß geworden ist – sein Hals guckt oben ganz dünn heraus. Er hat die perforierten Halbfinger-Lederhandschuhe an, die er immer zum Fahren trägt. Weil meine Großmutter fand, dass es kühl ist, hat er ein Halstuch in den Hemdkragen gesteckt. Er sitzt so gerade auf dem Fahrersitz, dass sein oberer Rücken die Lehne nicht berührt. Die Sonne steht tief.

»Mucika, haben Sie meine Sonnenbrille dabei?«

Meine Großmutter kramt im Handschuhfach und zieht ein Paar dunkle Gläser hervor, die er sich auf seine Brille steckt.

»Sind Sie sicher, dass es eine gute Idee ist, dass Sie fahren.«

»Ja.«

»Ich glaube nicht.«

»Es geht sehr gut.«

»Bitte. Wie Sie wünschen.«

Meine Großmutter schaut beleidigt aus dem Fenster. Ihr zu Füßen fängt der Hund an zu hecheln. Er hat die Angewohnheit, beim Autofahren immer vollkommen aus der Puste zu geraten, weil er die am Fenster vorbeiziehende Umgebung offenbar zu Fuß zurückzulegen glaubt. Unmöglich, längere Fahrten mit ihm zu unternehmen, eine Autobahnreise hätte ihn einmal fast umgebracht, aber zu kleineren Erledigungstouren nahmen meine Großeltern ihn gerne mit.

Mir wurde jedes Mal schlecht, wenn ich mit meinem Großvater im Auto fuhr. Am Steuer offenbarte sich an ihm ein Wesenszug, der ihm sonst im Leben vollkommen abging: Er fuhr sehr aggressiv, missachtete Vorfahrts- und andere Regeln und konnte von einer Sekunde auf die andere einen Anfall von Jähzorn bekommen, der sich in lauten Verwünschungen auf den Fahrer des Wagens vor ihm entlud. Außerdem roch es im Auto stark nach Zigarrenrauch. An diesem Tag aber fährt er ein gemächliches Tempo. Es ist auch außer ihnen kaum ein Auto auf den Straßen.

Links und rechts ziehen kleine, einstöckige Einfamilienhäuser vorbei. Die Vorgärten sind gepflegt, die Bürgersteige sauber. Zweimal die Woche liest die städtische Straßenreinigung das Laub auf, das die Anwohner zu ordentlichen Haufen zusammenkehren. An beinahe jedem Gartentor warnt ein Schild vor einem Hund. Vor ein paar Wochen wurde ein Fuchs in der Gegend gesehen, er hatte sich wohl aus dem nahen Forst hierher verirrt, seitdem dürfen einige der kleineren Hunde tagsüber nicht mehr aus dem Haus, und es ist deutlich leiser in der Gegend als sonst.

Sie nähern sich der ersten größeren Kreuzung.

»Mucika, sagen Sie mir, wie soll ich fahren?«

»Sie bringen mich um den Verstand, Sie fahren diese Strecke doch jeden Tag. Sie biegen hier ab. Hier rechts, Pista.«

Mein Großvater fährt diese Strecke seit Jahren beinahe täglich. Alleine kommt er gut zurecht, aber sowie meine Großmutter dabei ist, fühlt er sich unsicher. Oder sagen wir, er fühlt sich sicherer dabei, unsicher zu sein. Seit vielen Jahren fragt er meine Großmutter an dieser Stelle, wie er fahren soll, seit vielen Jahren antwortet meine Großmutter, dass er hier rechts abbiegen muss. Es sind ihre Rollen. Er fragt es freundlich, sie dreht die Augen zum Himmel und antwortet gereizt. Für andere klingt ihr Dialog wie ein Streit. Aber sie streiten sich nicht. Sie sprechen nur ihren Text.

Mein Großvater setzt den Blinker, guckt vorsichtshalber in den Rückspiegel, obwohl außer ihnen weit und breit kein Fahrzeug zu sehen war, und biegt rechts ab. Sie fahren nun eine kleine Straße entlang. Meine Großmutter schaltet das Radio ein und sucht einen Sender mit klassischer Musik. Aber es kommt nur Pop. Sie schaltet wieder aus.

»So passen Sie doch auf!«, sagt meine Großmutter plötzlich.

Um ein Haar hätte mein Großvater einen Fahrradfahrer übersehen. Im Rückspiegel ist er wütend gestikulierend auf der Straße zu sehen.

»Bitte, Pista, konzentrieren Sie sich«, sagt meine Großmutter wütend, sie weiß selbst nicht, ob auf ihren Mann oder auf den Fahrradfahrer.

»Haben Sie meine Zigarillos?«, sagt mein Großvater, der auch ein wenig erschrocken ist. Vielleicht hätte er doch besser zu Hause bleiben sollen.

Meine Großmutter zieht ein Päckchen aus ihrer Tasche, zündet eine an und reicht sie ihm.

»Danke.«

Sie steckt sich eine Zigarette an. Ein paar Kreuzungen sagen die beiden nichts. Nur das Brummen des Motors ist zu hören, das flache Hecheln des Hundes und das Britzeln der Zigarette bei jedem Zug.

»Da. Halten Sie dort«, sagt meine Großmutter und zeigt auf einen Briefkasten.

»Bitte, Pista, halten Sie«, sagt sie noch einmal, obwohl mein Großvater schon bremst.

»Soll ich parkieren?«, fragt er.

»Nein. Es reicht, wenn Sie blinken.«

Er fährt rechts heran, zieht die Handbremse und schaltet den Warnblinker an, den Motor lässt er laufen. Meine

Großmutter nimmt das Päckchen, das auf der Ablage gelegen hatte, drückt meinem Großvater die Hundeleine in die Hand und steigt aus dem Auto. Mein Großvater schließt kurz die Augen. Dies ist sein erster Ausflug seit Tagen, das alles strengt ihn sehr an. Als meine Großmutter die Wagentür wieder öffnet, schrickt er auf. Er räuspert sich und versucht wach auszusehen.

»Haben Sie Erzsi schöne Grüße von mir bestellt?«, fragt er.

»Warnblinker«, sagt meine Großmutter.

Mein Großvater stellt den Warnblinker aus.

»Ich habe sogar Ihre Unterschrift unter den Brief gesetzt«, sagt meine Großmutter.

»No«, sagt mein Großvater. Er sagt es so anerkennend, als würde er durch die Zähne pfeifen.

Von hinten ist plötzlich wieder das Summen der Fliege zu hören, aber es ist jetzt viel leiser als vorher, wahrscheinlich hat sie sich unter die Kofferraumabdeckung verirrt.

Vor einem gelben Haus hält mein Großvater an. Er schaltet den Motor aus. Der Hund stellt sich, inzwischen schwer keuchend, auf die Hinterbeine, sieht aus dem Fenster und wedelt immer schneller mit dem Schwanz. Meine Großmutter setzt sich eine Sonnenbrille auf. Hinter den großen dunklen Gläsern sind ihre Augen nicht mehr zu sehen.

»Sie müssen sich jetzt verabschieden«, sagt meine Großmutter.

Sie zieht den Hund vom Fenster und schiebt ihn zu meinem Großvater, der seinen Kopf mit beiden Händen umgreift und ihn liebevoll an den Barthaaren zieht, was dieser geschehen lässt, wie er alles mit sich geschehen lässt, mit angelegten Ohren und unglücklichem Blick.

»Szerbusz, Mitzike«, sagt mein Großvater. »Szerbusz. Jó édes Mitzike, jó kis kutya …« Die letzten Silben kommen als hohes Kieksen aus seinem Mund, was ihm selbst so unangenehm ist, dass er nicht weiterredet. Er beugt sich zum Hund und gibt ihm einen Kuss auf die Nase, die kühl und feucht ist. Dann streicht er ihm ein paar Mal so fest über den Kopf, dass dieser sich mit viel Kraft dagegenstemmen muss, um nicht umzufallen. Abschließend klopft er ihm dreimal fest auf den Rücken und guckt dann zu meiner Großmutter. Die atmet so schwer aus, als hätte sie minutenlang die Luft angehalten. Sie richtet sich auf und nimmt die Schultern zurück: »Gyere Mitzi, gehen wir.«

Sie öffnet die Wagentür, der Hund springt sofort hinaus. Aus dem gelben Haus ist jetzt Hundegebell zu hören. Meine Großmutter steigt, vom heftig an der Leine ziehenden Hund zu einem schnelleren Tempo gezwungen, als ihr angenehm gewesen wäre, aus dem Auto. »Moment«, sagt sie, »der Korb.« Sie öffnet die hintere Wagentür und nimmt den Korb vom Sitz. Der Hund ist jetzt ganz aufgeregt, er zieht sie in Richtung Gartentor und wedelt immer schneller mit dem Schwanz. Die Tür des gelben Hauses öffnet sich, und ein Hund, der genauso aussieht wie Mitzi, nur etwas größer und schlanker, schießt auf das Gartentor zu, gefolgt von einer großen blonden Frau um die fünfzig. Mein Großvater schließt die Augen.

An einem frühen Herbstnachmittag sitze ich in Kopenhagen in ebenjenem gelben Haus im Esszimmer, der Tisch vor mir ist für Kaffee und Kuchen eingedeckt. Mir gegenüber sitzt ein alter Mann, und wir wissen beide nicht, was wir miteinander reden sollen oder in welcher Sprache, und so lächeln wir uns nur hin und wieder über den Tisch hinweg an und hoffen wahrscheinlich beide, dass seine Frau gleich wiederkommt. Wir sind nur ein paar Straßen von dem Haus entfernt, in dem meine Großeltern gewohnt haben. Ich habe vergessen, nach dem Namen des Mannes zu fragen, seine Frau jedenfalls heißt Inga. Sie ist die Frau, die den Hund damals in Obhut genommen hat. Die große blonde Frau, die damals knapp über fünfzig war und die in vier Jahren siebzig wird.

Inga kommt mit einem Tablett mit Kaffee und Apfelkuchen ins Esszimmer und macht das Licht an, eine dänische Designerlampe, der einzige moderne Gegenstand im Raum. Die Äpfel seien aus dem Garten, sagt sie und gibt große Portionen auf die Teller. Wir essen ein paar Bissen, sagen Mmmhh und lächeln. Wie schlägt man jetzt den Bogen zum Doppelselbstmord seiner Großeltern? Ich beginne mit dem Hund. Erzähle, dass er noch ein paar Jahre bei uns in München gelebt hat, immer neurotischer und ängstlicher wurde und schließlich eines natürlichen Alterstodes starb. Wir haben alle Ungarisch gelernt für diesen Hund, gehört hat er trotzdem nicht. Ja, Mitzi sei schon ein merkwürdiger Hund gewesen, sagt Inga nickend, und schon sind wir in der Vergangenheit.

Meine Großmutter habe am Vortag angerufen, sagt

Inga. Ob sie Mitzi ein paar Tage nehmen könne, wie sie es gegenseitig immer machten, wenn sie verreisten. Gerne, habe Inga gesagt, aber sie könne ihn erst am Sonntag nehmen, vorher habe sie zu tun. Also hätten sie verabredet, dass meine Großmutter sie am Sonntag vorbeibringen soll. Inga sagt, meine Großmutter hätte gesagt, sie würden nach München fahren. Sie hätte in den letzten Monaten mehrmals davon gesprochen, dass sie und Pista vorhätten, die letzten Jahre ihres Lebens in München zu verbringen. Und nun wollten sie dort schon mal ein paar mögliche Wohnungen angucken.

München?

Das jedenfalls habe meine Großmutter ihr erzählt, sagt Inga.

Ohne zu fragen, tut sie mir ein zweites Stück Kuchen auf den Teller.

Wie war meine Großmutter an diesem Tag?

Sie sei ihr ein bisschen abwesend vorgekommen, stiller als sonst, ein bisschen traurig vielleicht, sagt sie. Sie habe sich das damit erklärt, dass es ja bestimmt auch nicht leicht sei, in Veras Alter noch einmal umzuziehen. Bei ihrer Geschichte. Wieder ein neues Land.

Hat sie meine Großmutter als glücklichen Menschen erlebt?

»O ja«, sagt Inga. »Sie war eine sehr glückliche Person. Immer gut gelaunt. Sie hat für ihren Mann gelebt.«

Inga war die Hundefreundin meiner Großmutter. Sie waren eines Tages im Wald miteinander ins Gespräch gekommen, weil sie die beiden einzigen Irish Terrier in

Charlottenlund besaßen, und von da ab hatten sie sich zum gemeinsamen Hundespaziergang verabredet. Wenn sie die große Tour gingen, dauerte das eine gute Stunde, kürzten sie ab, waren sie vierzig Minuten unterwegs.

Hat meine Großmutter ihr viel von sich erzählt?

Inga überlegt. »Nein, eigentlich nicht. Sie war ein sehr privater Mensch. Sie hat nichts Persönliches preisgegeben.«

Über was haben sie so geredet?

»Über Musik. Über die Oper, Konzerte. Über Ballett.«

Ich frage mich, wie oft meine Großmutter wohl ins Konzert ging. Und in was für Konzerte? Internationale A-Orchester oder eher Orgelvespern im Gemeindesaal?

Hat meine Großmutter je von früher erzählt, von Ungarn?

»Nein. Nein. Doch, halt, von ihrem Vater hat sie gesprochen.«

Was hat sie erzählt?

»Dass er bei der Marine war. Ich erinnere mich genau daran, weil es mir drollig vorkam, ein Navy-Offizier, nicht wahr, das weißt du auch noch?«

Ihr Mann, der die ganze Zeit stumm dabeisitzt, nickt.

»Ich meine, was macht ein Ungar bei der Marine«, sagt Inga und guckt belustigt. »Ungarn liegt doch gar nicht am Meer.«

Ich sage, so viel ich wisse, sei er Ingenieur gewesen. Inga schüttelt den Kopf, nein, nein, er fuhr zur See. Sie lacht. Ich denke, dass sich das meine Großmutter vielleicht ausgedacht hat, weil ihr diese Version besser gefiel?

Oder vielleicht war er während des Ersten Weltkriegs bei der Marine gewesen? Und brauchen nicht auch die Ingenieure? Wie auch immer.

Ich frage, wie sie das Verhältnis zu meiner Großmutter beschreiben würde.

»Ich fand sie faszinierend«, sagt Inga. »Sie trug immer Hosen. Sie war meine ältere Freundin. Ich habe sie bewundert.«

Als ich gehe, denke ich, dass meine Großmutter Inga bestimmt sehr gerne hatte. Sie brauchte Menschen wie sie. Wie eine Schauspielerin ein Publikum braucht. Sie waren Freundinnen, aber sie kannten sich nicht. Die wahren Freunde meiner Großeltern, fällt mir plötzlich auf, waren alle Juden.

*

Hattest du schon mal einen jüdischen Freund? Das fragte mich eines Tages beim Mittagessen eine Freundin, die in New York wohnt und Jüdin ist. Ich tat so, als müsse ich kurz überlegen, was ich in Wahrheit nicht musste, und sagte Nein. Das fand sie komisch. Vielleicht entginge mir da was, vielleicht gäbe es da ein Einverständnis, das es mit Nichtjuden nicht geben könne? Die Frage war wohl auch an sie selbst gerichtet, denn sie ist mit einem Nichtjuden verheiratet, und das übrigens sehr glücklich. Ob ich schon mal von J-Date gehört habe, fragte sie. Hatte ich nicht. Sie erklärte mir, dass J-Date ein Online-Dating-Portal für Juden ist. Aha, sagte ich und wollte gerade das Thema wechseln, als sie plötzlich ihren Sohn ins Feld führte, einen erfolgreichen Arzt, der, wer hätte das gedacht, seine zukünftige Frau auf J-Date kennengelernt habe. Ja aber ich will gar nicht Online-Dating machen, protestierte ich, half aber nichts. Sie weigerte sich einfach, das Thema zu wechseln, und nachdem sie mir ungefähr eineinhalb Stunden lang die vielen Vorzüge dieser Kontaktmethode erklärt und wiederholt gesagt hatte, dass ich ja nichts zu verlieren hätte, gab ich mich geschlagen: J-Date war genau, was ich brauchte. Ich würde mich heute noch anmelden. Ich würde eine Menge wahnsinnig interessanter New Yorker Männer kennenlernen, die alle Juden wären, und darüber hinaus vielleicht sogar noch nett. Was wollte ich mehr.

Zu Hause in der Wohnung in Brooklyn, in der ich damals für ein paar Monate wohnte, machte ich sofort den Computer an, ging auf die J-Date-Seite im Internet – und meldete mich an. Johannaberlin nannte ich mich, woran man vielleicht erkennen kann, dass ich tatsächlich keine weitere Zeit mit Nachdenken verschwendet hatte, nein, jetzt wollte ich es wissen, jetzt sofort. So lange würde ich nun auch wieder nicht in New York sein, ich hatte also keine Zeit zu verlieren. Mein Profil schrieb ich so ehrlich ich konnte: Ich hätte einen ungarischen Vater jüdischer Herkunft und eine deutsche Mutter, und als ich vor Kurzem in Tel Aviv gewesen sei, habe sich das zu meiner eigenen Überraschung angefühlt wie ein Nachhausekommen, weshalb ich mir vorstellen könne, dass ein jüdischer Freund vielleicht gar nicht so verkehrt wäre. »Ich weiß es nicht«, schrieb ich, »ich hatte nie einen. Meine Großeltern waren

Überlebende des Holocaust, und sie haben nie über ihre jüdische Identität gesprochen – genauso wenig wie mein Vater. Deshalb ist mir dieser Teil meiner selbst nahezu unbekannt.« Und dann schrieb ich noch, dass ich Frühling lieber mag als Herbst, und Winter lieber als Sommer; dass ich gerne lese, tolle Freunde habe und im Flugzeug immer am Gang sitze. Was man eben so schreibt, wenn man sympathisch gefunden werden möchte und gar nicht weiß, von wem.

Innerhalb weniger Tage hatte ich 130 Nachrichten. 130 Männer, die mich kennenlernen wollten, die sich mit Foto und Hobbys vorstellten, die Ärzte waren, Architekten, Anwälte, Fitnesstrainer, Schauspieler oder Journalisten. Und jeder Einzelne von ihnen: jüdisch. Ich war überwältigt.

Am Anfang las ich noch alles. Ihr gesamtes Profil, inklusive Lieblingsessen, Lieblings-Freizeitsport und Vorstellung von einer idealen Partnerschaft. Nach ein paar Tagen war ich bereits geübt genug, mit zwei, drei gezielten Blicken erkennen zu können, ob jemand genauso war wie die meisten anderen (»ich liebe die Natur, treibe gerne Sport und habe vielseitige Interessen«). Ich mochte die originellen, das waren insgesamt vielleicht acht. Acht von 130, von denen fünf in die engere Auswahl kamen, von denen ich schließlich zwei traf. Immerhin. Für jemanden, der wirklich nie im Leben Online-Dating machen wollte, eine überraschend hohe Zahl.

Der Erste hieß Victor. Er hatte mich mit einer scharfsinnigen Analyse meiner Jahreszeiten-Wertung überzeugt: »Also magst du Winter, weil darauf der Frühling folgt, und du magst Frühling, weil danach Sommer kommt. Also bevorzugst du in Wahrheit den Sommer!«

Ich traf ihn in einem Café. Fast hätte ich ihn nicht getroffen, denn, das lernte ich bei dem ersten Internet-Date meines Lebens, wenn jemand in seinem Profil sagt, er sei 36 Jahre alt, dann muss das nicht unbedingt bedeuten, dass er 36 Jahre alt ist. Es kann auch bedeuten, dass er vor ein oder zwei Jahrzehnten 36 Jahre alt war, sich aber noch lebhaft daran erinnert. Es muss auch nicht unbedingt heißen, dass jemand eine sportliche Figur hat, wenn jemand seine Figur im Profil als »sportlich« beschreibt. Im Gegenteil. Und wenn jemand als Herkunftsort »some neighbourhood« angibt, dann sollte man damit rechnen, dass diese Nachbarschaft in Sankt Petersburg gelegen haben könnte.

Man kann sich meine Überraschung also als ziemlich groß vorstellen, als anstelle eines 36-jährigen sportlichen Amerikaners mit braunen Haaren ein älterer, untersetzter Mann mit grauem Bart an meinen Tisch trat und mit dickem russischem Akzent fragte: »Are you Johannaberlin?«

Als ich ihn etwas später fragte, warum er nicht geschrieben habe, dass er aus Russland komme, lächelte er, wiegte den Kopf hin und her und sagte: »Ich habe einen Hinweis gegeben. Ich habe geschrieben, dass ich Englisch und Russisch kann.« Soweit Victor.

Sascha dann sah in echt genauso nett aus wie auf seinem Foto. Er war auch so alt, wie er angegeben hatte, und es stimmte sogar, dass er Journalist war. Dass trotzdem nichts aus uns wurde, lag an Dingen, die man nicht vorher klären kann.

Es ist ganz still, als meine Großeltern in ihr Haus zurückkommen. Kein Hund springt vor Freude von innen gegen die Tür, als sich der Schlüssel im Schloss dreht, keine Pfoten tappen ihnen zur Begrüßung über den Holzfußboden entgegen. Ein leeres Haus. Aber es riecht noch nach Hund.

Meine Großmutter hängt ihren Mantel an die Garderobe, mein Großvater tauscht seine Straßenschuhe wieder gegen seine Hausschuhe, was eine Weile in Anspruch nimmt. Er hält sich dabei im Türrahmen fest und tritt zuerst mit der rechten Schuhspitze den linken Schuh hinten herunter und schlüpft hinaus, dann streift er mit den Zehen des linken Fußes den rechten Schuh ab. Meine Großmutter sieht ihm zu.

»Wollen Sie sich nicht hinlegen, Pista?«

»Nicht nötig.«

»Sind Sie nicht müde? Sie sehen müde aus.«

»Ja, ich bin ein bisschen müde. Aber sollte ich nicht besser wach bleiben?«

»Wozu?«

»Um Ihnen zur Hand zu gehen.«

»Wobei?«

»Na, was machen Sie jetzt?«

»Sie machen mich noch wahnsinnig. Das habe ich Ihnen doch eben im Auto erklärt. Ich gehe jetzt in den Garten und später packe ich Geschenke ein. Wirklich, Pista, Sie können sich gerne hinlegen. Das wird ohne Ihre Hilfe gehen.«

»Gut. Ich werde mich aufs Sofa setzen.«

»Gut. Tun Sie das.«

Mein Großvater geht langsam ins Wohnzimmer. Meine Großmutter wirft einen Blick auf ihre kleine goldene Armbanduhr. 14 Uhr. Sie schließt die Haustür von innen mit dem Schlüssel ab. Dann zieht sie den Schlüssel ab und legt ihn auf die Kommode.

*

Mir fällt auf, dass ich vergessen habe Hélène zu fragen, wo meine Großeltern eigentlich während ihrer Zeit in Paris wohnten. Hatten sie ein eigenes Apartment? Wo, in welchem Arrondissement? Oder wohnten sie in einem Hotel? Ich könnte sie anrufen, die Antwort, sofern Hélène sich überhaupt daran erinnert, ist nur eine Telefonnummer entfernt. Aber ich tue es nicht. Ich befürchte, zu fordernd zu erscheinen. Überhaupt befällt mich während meiner Recherche oft die Angst zu stören. Ich komme mir wie ein Eindringling vor, ein Dieb, der den Menschen, die eingewilligt haben, mit mir über meine Großeltern zu reden, etwas entreißen will. Ich fühle mich bei fast jeder Nachfrage geradezu unhöflich neugierig. Als steckte ich meine Nase in Angelegenheiten, die mich nichts angehen. Was geht es mich an, wie meine Großeltern ihr Leben verbrachten. Wer bin ich, Dinge herausfinden zu wollen, über die sie nicht gesprochen haben, die zum Teil vielleicht sehr privat sind? Ich habe Erzsi gefragt, ob meine Großeltern einander treu waren. Sie zögerte erst, dann sagte sie, ihres Wissens hätten sich beide einmal betrogen, das sei aber noch in

Ungarn gewesen, und genau wisse sie es auch nicht, und es war ihr anzusehen, dass sie bereute, mir auf diese Frage zu antworten, noch während sie antwortete. Ich fand das dann auch sehr indiskret von mir und wechselte schnell das Thema.

Mit meiner Tante, die ich im Zuge meiner Recherche mehrmals in Kopenhagen besucht habe, war es ähnlich. Anfangs fragte ich drauflos. Fragte alles, was ich wissen wollte. Dann spürte ich irgendwann Widerstand. Merkte, dass sie keine Lust hatte, so viel über ihre Eltern zu sprechen, und dass sie auch nicht über sie sprechen konnte, als seien sie einfach ein faszinierendes Paar. Es waren ihre Eltern. Die sich umgebracht haben. Schwierige Eltern im Übrigen. Irgendwann habe ich aufgehört, meine Tante nach meinen Großeltern zu fragen. Aber ich habe mir jede Information, die sie am Rande erwähnte, gemerkt und dann, mit dem Gefühl, es heimlich zu tun, in ein Notizbuch geschrieben. Ich frage mich, wie ich es fände, wenn jemand ein Buch über meine Eltern schreiben würde. Was würde ich erzählen? Nur die guten Sachen? Würde ich wollen, dass jemand über sie schreibt? Eher nicht, glaube ich. Ich hätte Angst, dass das Bild, das von ihnen gezeichnet würde, mit dem, was ich von ihnen habe, nicht übereinstimmen würde.

Ich rufe Hélène nicht noch mal an. Was spielt es schon für eine Rolle, wo meine Großeltern in Paris gewohnt haben.

*

Im Mai des Jahres 1991, fünf Monate vor ihrem Tod, war mein Bruder zusammen mit seiner damaligen Freundin bei meinen Großeltern in Kopenhagen. Er sah sie nur einen Abend, denn am nächsten Morgen reisten meine Großeltern nach Ungarn, und mein Bruder und seine Freundin hüteten eine Woche ihr Haus. Mein Bruder sagt, dass seine Freundin unsere Großeltern sehr interessant gefunden habe. Als sie einmal kurz allein waren, habe sie ihn nach deren Lebensgeschichte ausgefragt. Sie seien doch Juden, wie hätten sie den Krieg überlebt? Und weil mein Bruder darauf keine richtige Antwort wusste, beschloss er, meinen Großvater einfach mal direkt zu fragen – was er dann auch tat, im Beisein seiner Freundin.

Wie war das eigentlich, im KZ?

Darüber wolle er nicht sprechen, antwortete mein Großvater, wie zu erwarten gewesen war. Es entstand eine Pause, in der mein Bruder nach einem unbefangenen Thema suchte, zu dem er jetzt überleiten könnte. Da sagte mein Großvater plötzlich, er könne von etwas anderem erzählen, das er erlebt habe. Und dann erzählte er vom Koreakrieg.

1952 war er sieben Monate in Nordkorea und arbeitete dort als wiederherstellender Chirurg. Er habe schreckliche Dinge gesehen, sagte er meinem Bruder. Er habe viele Arme und Beine wieder annähen müssen. Und damit endet die Erinnerung meines Bruders auch schon wieder, entweder weil mein Großvater nicht mehr erzählte oder aber weil auch dies ein Thema war, über das er ungern sprach – da ist die Erinnerung ja manchmal so höflich, aus lauter Rücksicht alles auf der Stelle wieder zu löschen.

Warum war mein Großvater im Koreakrieg? Was hat ein Ungar dort überhaupt verloren gehabt? Noch dazu einer, der doch vor ein paar Jahren erst einen Krieg nur mit Glück überlebt hatte?

Ich mache einen ungarischen Journalisten ausfindig, der 1952 und 1953 mehrere Monate lang in Nordkorea war, um für die Presse zu Hause über den Krieg zu berichten. In seinen Reportagen, die man sich über die British Library bestellen kann, lese ich über ein Krankenhaus, das Ungarn seinem sozialistischen Freundesland Nordkorea geschenkt hatte, ein ganzes Krankenhaus, komplett mit Ärzten, Krankenschwestern und medizinischem Gerät. Es befand sich in einem kleinen Dorf namens Chungwha, etwa 30 Kilometer von der Hauptstadt Pjöngjang entfernt, war in einem ehemaligen Schulgebäude untergebracht und in sehr primitivem Zustand. Aufs Dach hatte man ein großes rotes Kreuz gemalt, das den amerikanischen Feind hoffentlich davon abhalten würde, es zu bombardieren.

Der Journalist lebt heute in Paris. Am Telefon erzählt er mir, dass in diesem Krankenhaus etwa zwölf ungarische Ärzte gearbeitet haben, er kannte allerdings nicht alle mit Namen. Einer davon muss mein Großvater gewesen sein, sagt er, denn an anderer Stelle hätten ungarische Ärzte an diesem Krieg nicht teilgenommen. Wurden sie zwangsverpflichtet oder meldeten sie sich freiwillig, frage ich ihn und erzähle ein wenig von der Geschichte meines Großvaters. Es sei auf jeden Fall gut für die Karriere gewesen, sagt er. Vor allem für jüdische Ärzte. Oder andersherum: Nicht an diesem Einsatz teilzunehmen hätte negative Folgen gehabt.

Die ungarischen Ärzte, erzählt er, hätten Tag und Nacht gearbeitet. Sie hätten Menschen das Leben gerettet, die durch Napalmbomben fast verbrannt waren, darunter vielen Frauen und Kindern der Landbevölkerung. Nachts, wenn die Amerikaner die schwersten Luftangriffe flogen, operierten sie im Keller, der fensterlos war, so dass von außen kein Licht zu sehen war. Sie hätten unter Lebensgefahr gearbeitet, sagt der Journalist. Sie hätten Wunder vollbracht.

*

Im Sommer 1952, als mein Großvater in Korea war, war meine Großmutter mit den Kindern im Strandbad Csillaghegy. Erzsi besuchte sie dort. Sie habe meine Großmutter nie in so schlechter Verfassung erlebt wie an diesem Tag. Krank vor Sorge sei Vera gewesen. Angespannt und unfreundlich. Sie habe sich unmöglich benommen. Habe sie kaum begrüßt, dabei sei sie doch extra mit der Bahn herausgefahren. Sie habe sie überhaupt nicht beachtet, habe unendlich schlechte Laune gehabt. Erzsi macht einen Gesichtsausdruck, der eindeutig zu meiner Großmutter gehört: Kinn hoch, Augenbrauen hoch, Nasenflügel leicht gebläht. Erzsi sagt, sie sei auf Zehenspitzen herumgeschlichen, um ja nichts noch schlimmer zu machen, habe sich bemüht, besonders freundlich, wenn schon nicht unsichtbar zu sein. Aber es hätte nichts genutzt. Meine Großmutter sei den ganzen Tag über düster und verschlossen geblieben und hätte ihr das Gefühl gegeben, an irgendetwas schuld zu sein.

Als Erzsi davon erzählt, tut sie es mit verteilten Rollen.

Erzsi: »Was hast du denn?«

Erzsi als meine Großmutter: »Nichts, gar nichts.«

»Natürlich hast du etwas. Erzähl es mir doch.«

Schließlich habe meine Großmutter sie angeschrien: »Geh weg, geh weg, hau endlich ab.«

Erzsi: »So sprichst du nicht mit mir.«

Daraufhin sei meine Großmutter in Tränen ausgebrochen. »Keiner liebt mich«, habe sie gesagt. Und geweint, geweint, geweint.

Erzsi: »Doch, Veruska, du bist meine beste Freundin. Alles ist gut.«

»Nein. Keiner liebt mich.«

Und dann hätten sie sich irgendwann hingesetzt und geredet. Und meine Großmutter habe ihr erzählt, dass sie krank vor Sorge sei, dass meinem Großvater in Korea etwas zustoßen könne, dass sie nicht schlafen könne, nichts essen. Sie werde sich umbringen, sagte sie, wenn er nicht zurückkäme.

Da sagte sie es zum zweiten Mal.

*

Die Sonne ist hinter den Blaufichten verschwunden, die den Garten meiner Großeltern nach hinten hin säumen, es ist deutlich kühler jetzt als noch vor wenigen Stunden, vom Rasen steigt feuchte Kälte auf. Meine Großmutter hat sich eine Strickjacke um die Schultern gelegt. Sie steht am äußeren Ende der Terrasse und schaut in ihren Garten, den sie als ihr Werk betrachtet. Fast täglich zupft sie irgendwo Unkraut, hilft einer Klematisranke, die sich irgendwo verfangen hat, auf ihrem Weg nach oben, schneidet Äste, recht Laub oder sagt meinem Großvater, dass das Gras gemäht werden muss, was der dann mit angemessener Sorgfalt und der elektrischen Mähmaschine erledigt.

Ihre größte Liebe gilt ihren Rosen, die einen natürlichen Zaun zwischen Terrasse und Rasen bilden – weiße Schneewittchen, hellrosa Cottage Roses, gelbe Golden Border, karmesinrote Prince, violette Chartreuse de Parme – auf kleinen Schildern, die in der Erde stecken, sind ihre Namen vermerkt. Über die Jahre hat sie sich zu einer Expertin entwickelt, weiß, dass die Ophelia gerne klettert, die American Beauty nicht zu viel Sonne verträgt und wann die purpurne Marbree zum zweiten Mal blüht. Natürlich hat sie auch die Königin von Dänemark, eine besonders pflegeleichte und winterharte Sorte, mit blassrosa Blüten, bläulichen und kleinen, weichen Stacheln.

Und nie blühen die Rosen schöner als um diese Jahreszeit. Es ist, als böten die Blumen vor dem Winter noch mal alle ihre Kräfte auf. Sie scheinen zu glühen, so leuchtend sind ihre Farben, und ihr Duft ist intensiver als im Frühling oder Sommer. Meine Großmutter riecht an einer gelben Blüte, die kurz vorm Verblühen ist. Das Wort »betörend« kommt ihr in den Sinn. Sie hat einmal irgendwo gelesen, dass Blumen besser gedeihen, wenn man mit ihnen spricht, und seitdem tut sie das, redet mit ihnen, als wären es Freunde, Freundinnen, die man begrüßt und denen man Komplimente macht. Du bist aber schön geworden, sagt sie zu einer besonders dickblütigen Versigny, die aussieht wie ein zart roséfarbener Kopfsalat – de szép lettél, sie spricht Ungarisch mit ihren Rosen. Dann geht sie in das Kabäuschen, in dem sie das Gartengerät aufbewahrt, um Gartenerde zu holen, denn sie will, auch wenn das eigentlich noch ein bisschen zu früh dafür ist, die Rosen aufs Überwintern vorbereiten.

Als sie über die Terrasse läuft, hört sie Musik aus dem Haus kommen und bleibt stehen. Das Schumann-Klavierkonzert, sie liebt es sehr. Sie geht zum Wohnzimmerfenster, um meinem Großvater zu bedeuten, dass er es lauter machen soll. Oder das Fenster öffnen.

Durch die Scheibe sieht sie ihn auf dem Sofa sitzen. Sie klopft. Er scheint sie nicht zu hören. Er sieht sehr konzentriert aus. Sie klopft noch einmal, stärker. Er reagiert nicht. Er sitzt auf dem Sofa und sieht nicht hoch. Sie klopft und ruft seinen Namen. Keine Reaktion. Auf einmal fällt ihr auf, wie dünn er ist. Sein Kopf wirkt viel zu groß auf seinen schmalen Schultern, fast wie ein Kind sieht er aus. Ein alt gewordenes dünnes Kind mit eingefallenen Wangen, weißem Schnurrbart und Brille. Es macht sie traurig, ihn so zu sehen. Es rührt sie auch. Das ist der Mann, mit dem sie alt geworden ist. Ihr Mann. Ihr Leben.

*

Am Nachmittag des 23. Oktober 1956 standen mein Vater und meine Tante, damals zwölf und neun Jahre alt, am Wohnzimmerfenster hinter den Gittern am zweiten Stock und sahen hinunter auf den Oktogon. Dort wurde, begleitet von Tausenden Demonstranten, die riesige Stalin-Figur entlanggeschleift, die bis vor wenigen Momenten noch auf einem Sockel am Heldenplatz gestanden hatte. Mein Vater weiß noch, dass der über den Asphalt gezogene Stalin einen Wahnsinnslärm machte.

Ein paar Stunden später hörten sie Schüsse fallen. Die Demonstration, die friedlich begonnen hatte und deren Hauptforderung die Unabhängigkeit Ungarns von der Sowjetunion war, war zum blutigen Volksaufstand geworden. Am Platz vor dem Rundfunkgebäude kam es zu Schusswechseln zwischen Demonstranten und Polizei; am Abend versammelten sich an die 200 000 Menschen vor dem Parlament und forderten die Wiederernennung des Reformkommunisten Imre Nagy zum Regierungschef. Tatsächlich wurde er in der Folge zum Staatsoberhaupt ernannt, und nach vier Tagen blutiger Kämpfe verließen die ersten russischen Truppen das Land. Es sah aus, als hätte die Freiheit gesiegt: Ungarn trat aus dem Warschauer Pakt aus und erklärte seine Neutralität. Die Krise, so schien es, war vorüber.

Aber dann kam alles ganz anders. Am 29. Oktober griff Israel Ägypten an, was wiederum England und Frankreich als Anlass für einen Angriff auf den Suezkanal nahmen. Für einen Moment war die Welt abgelenkt von den Ereignissen in Osteuropa. Das nutzte die Sowjetunion aus. Am 4. November passierten Tausende russischer Panzer die Stadtgrenze von Budapest, es kam zu schweren Kämpfen, auf ungarischer Seite gab es in den kommenden Tagen 2500 Tote, auf sowjetischer etwas über 700, dies sind vorsichtige Schätzungen.

In der Orthopädischen Klinik, die mein Großvater leitete, versteckten sich Revolutionäre. Er wusste davon und leistete somit passiven Widerstand gegen die sowjetischen Besatzer. Ob er sich der Gefahr bewusst war, der er sich – und seine Familie – damit aussetzte? Wahrscheinlich. Der Gedanke an Flucht kam auf.

Mein Vater war damals gerade zwölf Jahre alt geworden. Was hat er von all dem mitgekriegt?

Er weiß noch, dass zu Hause dauernd die Nachrichten im Radio gehört wurden. Dass geflüstert wurde, sobald seine kleine Schwester ins Zimmer kam. Er und sein Cousin wurden in den Fluchtplan eingeweiht, sie waren alt genug, sich nicht zu verplappern, hatten meine Großeltern wohl entschieden. Eines Tages seien sie dann in die Klinik gezogen. Sie hätten ein paar Nächte dort geschlafen. Er sei dann noch einmal mit seiner Mutter in der Wohnung am Oktogon gewesen, um ein paar Sachen zu holen. Eine Tasche hätten sie voll gepackt, und damit ging es dann wieder zurück in die Klinik, dafür mussten sie über eine der Brücken, die über die Donau führten. Und einen Tag später, oder am selben Tag, das weiß er nicht mehr, sind sie geflohen. Was nichts anderes heißt, als dass sie sich vor dem Orthopädischen Krankenhaus in Buda in den schwarzen DKW setzten und in Richtung Grenze fuhren. Irgendwie fängt so eine Flucht ja an.

*

Meine Tante, die in Kopenhagen lebt, muss erst ihre Leiter aus der Abstellkammer holen, um in ihrem Kleiderschrank ganz oben hinten an die Tasche heranzukommen, die mein Vater damals mit meiner Großmutter noch aus der Wohnung geholt hatte. Sie war das Einzige, was sie auf der Flucht aus Ungarn mitnahmen. Eine gut erhaltene rotbraune Henkeltasche, etwas kleiner als ein kleiner Koffer. Wenn man den Reißverschluss aufzieht, steigt einem noch heute der Geruch in die Nase, der im Haus meiner Großeltern hing.

Sie flohen am 20. November 1956. Meine Tante sagt, dass niemand mit ihr über die bevorstehende Flucht gesprochen hatte. Sie war neun Jahre alt, vielleicht hatte man Angst, sie zu erschrecken. Oder dass sie sich anderen gegenüber verplappern und alle in Gefahr bringen könne. Wann immer sie einen Raum betrat, sei das Gespräch verstummt, daran erinnert sie sich noch. Und dann hieß es eines Nachmittags plötzlich, komm, wir ziehen jetzt für ein paar Tage in das Krankenhaus, in dem dein Vater arbeitet. Und dann hieß es irgendwann, komm, wir steigen jetzt ins Auto und fahren los. Niemand sagte ihr, wohin es ging. Niemand erklärte ihr, dass sie nicht zurückkommen würden. Da war es wieder, das typische Darüber-sprechen-wir-nicht.

Die Stimmung im Wagen hat meine Tante als bedrohlich empfunden. Neben ihr saßen mein Vater und ihr Cousin István, zwei Jungen, die sie normalerweise ständig ärgerten, aufzogen, piesackten, die jetzt aber ausnahmsweise ganz still waren. Mein Großvater fuhr, meine Großmutter saß auf dem Beifahrersitz. Sie sagte meiner Tante, dass sie sich schlafend stellen sollte, falls sie angehalten werden würden. Man kann sich vorstellen, dass eine Neunjährige beruhigendere Situationen erleben kann.

Mein Vater weiß noch, dass es hell war, als sie losfuhren, und dunkel, als sie zur Grenze kamen. Er sagt, sie seien vielleicht drei Stunden gefahren. Kurz vor der Grenze wurden sie angehalten. Sie mussten aussteigen. Ein ungarischer Grenzsoldat beugte sich zu meinem Vater und fragte ihn, ob er friere. Mein Vater nickte. Der Soldat zog sich den rechten Handschuh aus und schenkte ihn meinem Vater. Er hat ihn noch: einen braunen Lederhandschuh, der nur zwei Finger hat, Daumen und Zeigefinger. Mehr braucht man nicht zum Schießen.

Sie mussten ihr Auto zurücklassen, dann durften sie weiter.

Mein Vater erinnert sich, dass sie über ein freies Feld liefen. Es war kalt, der Mond schien, niemand sagte ein Wort. Auf einmal wären hinter ihnen Menschen gewesen, und weil sie nicht wussten, wer das war und ob die ihnen etwas Gutes oder etwas Schlechtes wollten, hätten sie sich in großer Angst hinter einen Strohballen geduckt und abgewartet. Als dann länger nichts passierte, liefen sie irgendwann weiter, sahen bald die Lichter von Häusern, sahen einen Kirchturm, liefen schneller, hörten Stimmen, die kein Ungarisch sprachen, entdeckten in der Dunkelheit deutsche Straßenschilder – und befanden sich auf österreichischem Landesgebiet.

*

Erzsi floh zwei Nächte nach meinen Großeltern. Sie hatte Pech, in ihrer Nacht regnete es. Sie trug einen Pelzmantel, den ihr meine Großmutter ein paar Tage vorher geschenkt hatte, zum Abschied und weil sie ihn nicht mitnehmen konnte. Erzsi und ihre drei kleinen Kinder flohen zu Fuß, ihre Flucht war nicht geplant und musste auf einmal sehr schnell gehen, ihr Mann war verhaftet worden, und sie versuchte, sich und die Kinder in Sicherheit zu bringen. Erzsi trug den Pelzmantel, und es regnete, und alles, was sie denken konnte, war: Hoffentlich ruiniert die Nässe nicht den Pelz, Vera wäre bestimmt böse, wenn sie das erführe. Weil Erzsis Mann als Staatsfeind galt, passierte sie mit ihren Kindern die Grenze nicht an einem bewachten Übergang, sondern überquerte im Dunkeln einen Stacheldrahtzaun. Erzsi blieb mit dem Mantel hängen, riss ein Loch hinein und stolperte anschließend auch noch in eine Erdfurche, die natürlich ganz matschig war vom Regen. Die Flucht, das war eine Sache – quengelnde

Kinder, Kälte, Nässe, dazu noch der Mann im Gefängnis –, die andere Sache, das war der Pelz. Erzsi hatte fest vor, ihn meiner Großmutter zurückzugeben – sie kannte sie gut genug, um zu wissen, dass meine Großmutter insgeheim damit rechnete, für den Fall, dass man sich einmal wiedersah. Die ganze Flucht über dachte sie nur an den Pelz, verfluchte Regen, Matsch und Stacheldraht. Und als sie sich tatsächlich trafen, in Wien, als sie sich dort zufällig unter Tausenden von Flüchtlingen begegneten, gab Erzsi meiner Großmutter den geschenkten Pelz zurück, und die nahm ihn auch an, huldvoll, wie man vermuten darf. Er war »in poor condition«, sagt Erzsi. Es scheint ihr heute noch peinlich zu sein.

*

Auf den ersten Fotos, die meine Großeltern in ihrer neuen Heimat Dänemark zeigen, sehen sie schrecklich verfroren aus. Sie liegen in dicken Mänteln und mit Schal und Wolldecke auf Sonnenliegen vor einem Holzhaus und blinzeln in die nördliche Sonne. Sie fahren mit Fahrrädern über Kieswege, meine Großmutter und meine Tante haben Kopftücher umgebunden, und in dieser platten Landschaft sehen sie mit ihren dunklen Augenbrauen ungarischer aus als je zuvor. Die Familie Lippmann hatte ihnen das Sommerhaus von Bekannten in Rungsted vermittelt, einer kleinen Stadt am Meer, viele Dänen nahmen mit großer Herzlichkeit Flüchtlinge aus Ungarn auf.

An einem Samstag waren sie nach Dänemark gekommen. Am Montag darauf wurden mein Vater, meine Tante und ihr Cousin eingeschult, ohne ein einziges Wort Dänisch zu verstehen. Sie lernten es unterschiedlich schnell: Mein Vater sagt, eines Morgens im März, nur ein paar Monate nachdem sie hergezogen waren, hätte er plötzlich gemerkt, dass er im Radio die Nachrichten verstand. Bei meiner Tante dauerte es länger. Sie sagte die ersten Monate überhaupt kein Wort, und dann machte sie irgendwann den Mund auf und sprach perfekt, fehlerfrei und ohne Akzent. Meine Großeltern sollten ihren schweren ungarischen Akzent nie ganz verlieren. Ihr Dänisch klang immer dunkel wiegend, anstatt oben im Hals zu kratzen, was aber nicht unbedingt ein Nachteil war.

Mein Großvater fing schon nach wenigen Wochen an zu arbeiten, zunächst in einem Krankenhaus in Kolding, bald, nachdem er als Orthopäde in Dänemark anerkannt war, als Chirurg im Orthopädischen Krankenhaus in Kopenhagen. Er konnte sich anfangs zwar kaum mit Worten verständigen, aber Überbein ist schließlich international. Und meine Großmutter gab sich allergrößte Mühe, eine dänische Hausfrau zu werden. Sie übertrieb es beinahe. Wenn es je eine vorbildliche Dänin gegeben hatte, dann sie. Sie freundete sich mit Frauen in der Nachbarschaft an, lernte nähen, beschäftigte sich mit Gartenarbeiten – etwas, das sie, vielleicht nur in Ermangelung eines Gartens, in Budapest nie interessiert hatte. Sie schaffte sich einen Hund an, einen Irish Terrier namens Paidi, den ich sogar noch kennenlernte, altersschwach und blind. Sie hielt das Geld noch besser zusammen als früher in Ungarn. Und sie lernte kochen und backen. Auch das hatte sie in Budapest nie getan, und wozu auch, sie hatten schließlich eine Köchin.

Das alte Leben wurde abgelegt wie eine Jacke, die einem nicht mehr gefällt. Was jetzt zählte, war das neue Leben in Dänemark. Um die Sprache zu lernen, übersetzte meine Großmutter ungarische Rezepte ins Dänische – woher sie sie hatte, weiß keiner –, und schließlich gab sie die besten Rezepte für Gulasch, Knödel, Hefezöpfe und Letscho sogar als Kochbuch heraus. Auf dem Titelbild lächelt sie, eine dampfende Schüssel auf einen dänischen Teakholz-Tisch stellend, in die Kamera. So artig, wie sie da guckt, so freundlich dienend mit ihrer umgebundenen Schürze, erinnert sie mich, ich kann mir nicht helfen, an den Wolf, der Kreide gefressen hat.

Sie schafften sich neue Möbel und ein Auto an, besuchten Konzerte, luden neue Bekannte zum Essen ein, und genossen es, an so etwas Exotischem wie dem Meer spazieren zu gehen. Insgesamt kann ihre Immigration als voller Erfolg bezeichnet werden. Mein Großvater wurde ein erfolgreicher Arzt, sie zahlten ungern, aber pünktlich, wie alle guten Bürger, ihre Steuern, aßen Frokost zu Mittag, tanzten an Weihnachten, das sie dänisch »Jul« nannten, mit den Kindern und später auch Enkelkindern Hand in Hand um den Baum, wie es in Skandinavien Sitte ist. Sogar König Friedrich IX. und danach seine Tochter, Königin Margrethe mochten sie, Letztere nicht zuletzt vielleicht deshalb, weil auch sie Kettenraucherin ist.

Mein Großvater sitzt im Wohnzimmer auf dem tiefen, roten Sofa, auf dem meine Großeltern abends immer fernsahen. Am liebsten amerikanische Krimiserien wie »Columbo«, aber auch »Derrick« aus Deutschland, im dänischen Fernsehen im untertitelten Original. Jetzt aber ist der Fernseher aus. Mein Großvater hat eine Wolldecke über den Beinen und eine kleine Nagelschere in der Hand und ist damit beschäftigt, Kapseln aufzuschneiden, in denen weißes Pulver ist. Das schüttet er immer abwechselnd in eins der zwei Gläser, die vor ihm auf dem Sofatisch stehen. Aus den Lautsprechern kommt der dritte Satz des Schumann-Klavierkonzerts a-Moll, Allegro vivace, es spielt Martha Argerich, begleitet vom National Symphony Orchestra unter der Leitung von Mstislav Rostropovich. Kapsel um Kapsel steigt die Pulverhöhe in den Gläsern an, eine Lade Kapseln hat er schon aufgeschnitten, die leeren Hüllen liegen vor ihm auf dem Tisch. Wenn er aufsehen würde, könnte er durchs Fenster meine Großmutter sehen, die mit einem großen Strauß frisch geschnittener Rosen über die Terrasse läuft. Sie geht schnellen Schrittes, leicht nach vorne gebeugt, die Schultern nach oben gezogen, die Sonne geht bald unter, draußen ist es jetzt kühl.

Er hat inzwischen die ideale Methode gefunden, die Kapseln zu öffnen. Zunächst piekst er mit der Spitze in die Mitte und vergrößert dann das Loch, indem er die Klinge tiefer hineinbohrt und ein bisschen nach rechts und links ruckelt. Dann zieht er die Schere heraus, setzt sie sauber in der Mitte an und schneidet mit kleinen Chirurgenschnitten einmal ringsum die Kapsel entzwei.

Aus den Augenwinkeln sieht er, wie meine Großmutter von außen ans Fenster tritt. Er sieht nicht auf. Er hört, wie sie seinen Namen ruft. Er sieht immer noch nicht auf.

Und wieder ist eine Kapsel aufgeschnitten, deren Inhalt er in eins der Gläser schüttet.

Meine Großmutter klopft gegen das Wohnzimmerfenster.

Jetzt nicht, denkt er. Diese Arbeit, die er da gerade tut, hat etwas Beruhigendes. Immer dasselbe, hundert Kapseln, hundertmal Pieksen, Schneiden, Schütten. Er möchte sich jetzt nicht ablenken lassen. Nicht von dieser Ablenkung.

Es klopft noch einmal.

Mein Großvater tut, als höre er es nicht. Er versucht, ganz in die Arbeit, die Musik vertieft zu wirken. Er hält den Kopf gesenkt und arbeitet weiter. Pieksen, schneiden, schütten. Pieksen, schneiden, schütten. Bald ist er wirklich ganz vertieft.

Als er das nächste Mal den Kopf hebt, sieht er meine Großmutter durchs Fenster wieder bei den Rosen stehen. Sie hat eine Tüte Erde in der Hand. Wie gut, denkt mein Großvater, dann habe ich noch etwas meine Ruhe.

*

Ein Jahr nach ihrer Ankunft in Dänemark wurden meine Großeltern vom dänischen Radio interviewt. Die ungarischen Flüchtlinge – etwas mehr als tausend hatte Dänemark aufgenommen – waren in diesem kleinen Land etwas Besonderes, und man war interessiert daran, wie es ihnen erging. Mein Vater erinnert sich, dass das Interview im Radio unfreiwillig komisch war. Die sonst so tiefen Stimmen meiner Großeltern seien bei dieser Gelegenheit vor lauter Aufregung ganz hoch gewesen, und hätten im Vergleich zur Stimme des dänischen Reporters geklungen, als wären sie schneller abgespielt. Man hatte ihnen die Fragen vorab gegeben, weil sie in der neuen Sprache noch nicht sicher waren, so konnten sie ihre Antworten schriftlich formulieren und dann ablesen. Das Manuskript hat mein Vater noch. Es ist mit Schreibmaschine getippt, vieles ist durchgestrichen und in der Handschrift meiner Großmutter am Rand korrigiert.

Zunächst wird mein Großvater befragt. Er wird gefragt, was es mit der Ledertasche auf sich habe, die im Flur hänge. »Die ist voller Erinnerungen«, antwortet er. Sie sei das Einzige gewesen, was sie aus Ungarn hätten mitnehmen können, denn die Entscheidung zur Flucht sei von einem Augenblick zum nächsten gefallen. »Nach dem zweiten russischen Angriff waren wir tief deprimiert. Wir konnten uns nicht vorstellen, wie wir weiter in einem Land leben konnten, das von Lügen regiert wurde und uns so viele Enttäuschungen bereitet hat.«

»Wie war die Flucht?«, fragt der dänische Reporter.

»Etwas einfacher, als wir uns das vorgestellt hatten. Wir sind mit dem Auto bis zur Grenze gekommen, und nachdem uns die Grenzpolizei erst erschreckt hat, zeigten sie uns zuletzt sogar den Weg nach Österreich. Sie behielten das Auto, aber uns ließen sie gehen.«

»Warum gerade Dänemark?«

»Das war ein Zufall«, sagt mein Großvater, »und ich kann jetzt sagen: ein mächtig glücklicher Zufall.« Und dann erzählt er dem Reporter die Geschichte, die ich auch oft gehört habe, von meinem Vater, meiner Tante – dass mein Großvater während der Revolution einen Dänen kennengelernt hatte, der mit Hilfslieferungen des Roten Kreuzes nach Budapest gekommen war. Als sich die Lage zuspitzte, konnte er das Land nicht verlassen und kam zufällig in dem Krankenhaus unter, das mein Großvater leitete. Ole Lippmann hieß er, der erste Däne, den mein Großvater in seinem Leben traf. Während des Zweiten Weltkriegs war er im dänischen Widerstand aktiv gewesen. Mein Großvater mochte ihn, sie freundeten sich an. Und als meine Großeltern überlegten, wohin es nun gehen sollte – die Lage war schwierig, Wien kalt und unfreundlich, und keines der Länder, das sie im Sinn gehabt hatten, Australien, Kanada, Amerika (Hauptsache, so weit weg von den Russen wie nur möglich!) nahm noch Flüchtlinge auf –, kamen sie zufällig an der Dänischen Botschaft vorbei. Dänemark. Warum nicht Dänemark. Sie gingen hinein, sie hatten ja nichts zu verlieren – und dann kannte man in der Botschaft tatsächlich schon ihren Namen, Ole Lippmann hatte von ihnen erzählt, und man schien nur darauf gewartet zu haben, dass sie sich meldeten. »So wurde Dänemark unsere Zukunft«, sagt mein Großvater und erklärt Ungarn damit zur Vergangenheit.

Dann wendet sich der Reporter meiner Großmutter zu.

»Und Sie, wie geht es Ihnen?«

»Jetzt geht es mir gut«, sagt meine Großmutter. »Aber der Anfang war schwer. Wir haben in Ungarn eine falsche Erziehung genossen. Es war ein feudales System, und wenn man sich dieses System anguckt, sollte man nicht nur an die Landwirtschaft denken, sondern auch an die Erziehung der Jugend. Zum Beispiel habe ich nie im Leben einen Mann in der Küche gesehen. Als ich den ersten Dänen in der Küche gesehen habe, dachte ich, es sei sein Hobby. Ich war sehr erstaunt, als ich bemerkte, dass er besser kochte als seine Frau. Eine Haushaltshilfe ist in Ungarn so gewöhnlich wie in Dänemark ein pfeifender Teekessel. Wir hatten auch keine Waschmaschine, sondern eine Waschfrau. Wenn ein junges Mädchen in Ungarn eine gute Erziehung bekommt, macht sie Abitur. Ich hatte eine gute Schulausbildung, aber ich hatte nie gelernt zu waschen, zu bügeln, zu kochen.«

»Und jetzt haben Sie es gelernt?«

»Ja, aber man kann sich vorstellen, welche Schwierigkeiten ich gehabt habe. Eine der schwierigsten Sachen ist, wie man ein Hemd bügelt. Das habe ich von einem Mann gelernt.«

»Hoffen Sie, eines Tages nach Ungarn zurückzugehen?«

»Es ist noch nicht so lange her, dass ich dieses Gefühl habe, aber seit dem letzten Monat habe ich wirklich das Gefühl, dass wir in Dänemark zu Hause sind. Wenn ich in die Stadt gehe oder einkaufe, habe ich immer ein Bild von meinem Zuhause im Kopf. Früher habe ich da unsere Wohnung in Budapest gesehen – jetzt sehe ich unsere Wohnung in Hørsholm.«

Aus Budapester Juden waren dänische Staatsbürger geworden. Sie wollten nicht auffallen, wollten dazugehören, niemand sollte wissen, dass sie Kommunisten gewesen waren, dass sie jüdisch waren, jüdische Kommunisten aus Osteuropa – all das sollte nicht mehr gelten. Wie hatte Julika sich ausgedrückt: Das Leben hat 1945 angefangen. Und in Dänemark fing jetzt wieder ein neues an. Das dritte und letzte Leben meiner Großeltern.

Blickten sie je zurück?

Einmal, in einer Aktion, die wirklich als äußerst ungewöhnlich bezeichnet werden muss, haben meine Großeltern zusammen das ehemalige Konzentrationslager Mauthausen besucht. Es muss in den späten Siebziger- oder frühen Achtzigerjahren gewesen sein. Sie waren gerade bei uns in München zu Besuch, haben sich unseren Peugeot ausgeliehen und sind hingefahren. Als sie am Nachmittag zurückkamen, sagte mein Großvater nur einen Satz: »Mit dem Auto hinzukommen, ist viel angenehmer als zu Fuß.«

*

Schauen Sie.« Meine Großmutter betritt das Wohnzimmer. Mein Großvater sieht auf. Sie hat eine Vase mit langstieligen dunkelroten Rosen in Händen, bestimmt dreißig Stück, die Blütenkelche sind fast völlig geöffnet.

»Schauen Sie«, sagt sie noch einmal und hält ihm die Blumen vor die Nase. »Wie sie duften.«

Mein Großvater riecht daran.

»Mmh«, macht er. »Wie schön sie sind. Ebenso schön wie Sie.«

Mein Großvater hat meiner Großmutter so viele Komplimente gemacht, dass sie diese wahrscheinlich gar nicht mehr als solche wahrgenommen hat. Nach jeder Einladung, die sie zusammen besuchten und bei der auch andere Frauen zugegen waren, sagte er: »Sie waren die Schönste auf dem Fischmarkt.« (»Maga volt a legszebb a halpiacon.«) Immer dieselbe Formel. Wie der Spiegel der bösen Stiefmutter im Märchen.

Meine Großmutter stellt die Vase auf den Esstisch. Sie zupft ein paar Blätter zurecht, irgendwann ist sie zufrieden. Sie dreht sich um, bleibt unschlüssig stehen.

»Wo haben Sie das Buch?«, fragt sie meinen Großvater.

Der ist gerade darauf konzentriert, den Inhalt einer frisch geöffneten Kapsel in eines der Gläser zu schütten. Um noch den letzten Rest herauszubekommen, klopft er mit dem Zeigefinger von oben auf die Kapselhälften.

»Das Buch«, sagt meine Großmutter ungeduldig, »Pista, das Buch, wo haben Sie es?«

Mein Großvater sieht auf. Ach so, ja, das Buch. Er greift neben sich zwischen die Kissen und zieht es hervor. »Final Exit« steht auf dem Cover. Darüber, kleiner, in roten Buchstaben: »The #1 New York Times Bestseller«.

*

Sie hatten auf mehrere Arten versucht an dieses Buch zu kommen, das im Frühjahr 1991 in Amerika erschienen war. Zunächst fast unbeachtet, wurde das Buch nach einem großen Artikel im »Wall Street Journal«, der im Juli erschien, zum Skandal. Ein Anleitungsbuch zum Selbstmord, für jeden erhältlich, das hatte es noch nie gegeben. Schon im August führte »Final Exit« die »New-York-Times«-Bestseller-Liste an, überall auf der Welt berichteten die Zeitungen, auch in Dänemark war darüber zu lesen. Ein Buch, das erklärte, wie man sich am sichersten, saubersten, schnellsten das Leben nimmt. Genau, was meine Großeltern brauchten. Mein Großvater konnte Knochenbrüche operieren – mit Anästhesie kannte er sich nicht aus. Doch wie sollten sie an »Final Exit« kommen? Das Buch wurde in Dänemark nicht verkauft, auch nicht in Deutschland und allen anderen europäischen Ländern außer Holland. In Holland aber kannten meine Großeltern niemand. Und Internet gab es noch nicht.

Zuerst versuchten sie es über einen befreundeten dänischen Arzt. Der kam auch tatsächlich an das Buch, las es, und entschied sich, es meinen Großeltern nicht zu geben. Die im Buch erläuterten Methoden waren so präzise, so wirkungsvoll, dass er das Gefühl hatte, aktiv an ihrem Plan beteiligt zu sein, wenn er derjenige wäre, der ihnen das Buch besorgte. Er rief meine Großeltern an und sagte, dass er ihnen nicht helfen wolle. Also rief meine Großmutter Erzsi an, wozu hatte man schließlich eine Freundin in Amerika. Erzsi sagt, sie habe das Buch meiner Großmutter nicht schicken wollen. Die habe aber so gedrängt und so oft angerufen, dass schließlich, so sagt sie, ihr Mann das Buch gekauft und nach Kopenhagen geschickt habe. Erzsi sagt, dass meine Großmutter sie angerufen habe, dass das Päckchen nicht angekommen sei. Und dass ihr Mann das Buch schließlich ein zweites Mal gekauft und nach Kopenhagen geschickt habe. Das zweite Exemplar kam an.

*

Ich bestelle mir »Final Exit« bei Amazon, zwei Tage später kommt es mit der Post. Ein ganz normales braunes Päckchen. Es liegt kein Begleitschreiben bei, dass man das Buch besser nur lesen solle, wenn man gerade nicht von einer schweren Depression befallen ist. Es ist auch kein Aufkleber drauf, der vor einem gefährlichen Inhalt warnt, noch nicht mal ein hoffnungsvolles »Don't try this at home«. Nein, es ist ein ganz normales, gut in der Hand liegendes Taschenbuch in englischer Sprache – eine deutsche Übersetzung ist nie erschienen. 256 Seiten, 10,95 Euro. Ich lege es erst einmal weg und lasse es ein paar Tage ungeöffnet in der Wohnung herumliegen, die Vorderseite nach unten. Ich finde es unheimlich, dass ich es nun habe.

Als ich dann das erste Mal vorsichtig darin blättere, lese ich als Erstes von einer als besonders sauber beschriebenen Methode der Selbsttötung, die unter Zuhilfenahme einer über den Kopf gezogenen Plastiktüte das Einatmen von Gas vorsieht. Ich muss an meinen Großvater denken. Ein KZ überlebt und dann das? Ich klappe das Buch wieder zu und lege es in einem Schrank, der Türen hat, die man zumachen kann, ganz nach unten. Obwohl dieses Buch bei meinen Großeltern wahrscheinlich nur positive Gefühle ausgelöst hat – sie werden erleichtert gewesen sein, als es endlich mit der Post kam, werden neugierig die Details studiert haben –, kommt es mir vor, als habe dieses Buch meine Großeltern umgebracht. Als wäre es eine Waffe, die sie gegen sich selbst gerichtet haben.

Und irgendwann lese ich es dann doch. Ich fange beim Vorwort an und höre auf der letzten Seite auf, es liest sich ziemlich schnell, und wenn man das rechtfertigende, um Verständnis werbende Vorwort geschafft hat, liest es sich noch schneller. Es ist eine sachliche Anleitung, wie man sich am besten das Leben nimmt, und richtet sich an Menschen, die ihre Gründe dafür schon haben werden. Anders ausgedrückt: Wer ohnehin vorhat, sich das Leben zu nehmen, dem wird dieses Buch sehr willkommen sein. Meinen Großeltern hat »Final Exit« sicher sehr geholfen.

*

Bei meinen Eltern in München stehen in einem Regal ein paar alte Fotoalben aus den Jahren 1956 bis 1971. Die meisten der Fotos hat mein Vater aufgenommen, dem man eine anfängliche Begeisterung für die technischen Möglichkeiten seiner Kamera deutlich anmerkt: Immer wieder kleben in den Alben künstlerische Schwarz-Weiß-Ansichten von Tulpen, mal mit scharfem, mal mit verschwommenem Hintergrund; einmal gibt es eine Serie, die an einem Weihnachtsabend entstanden sein muss: Vor einem vermutlich geschmückten vermutlich Baum posieren drei Menschen, vermutlich meine Großeltern und meine Tante, unter Umständen winken sie gerade in die Kamera, ein paar Schatten im oberen Bilddrittel könnten Hände sein, aber sicher kann man nicht sein: Der Fotograf war allein darauf konzentriert, die Kerze im Vordergrund scharf zu stellen.

In dem Album aus dem Jahr 1956 liegt ein loses Bild, datiert vom 12. Dezember. Es ist auf DIN-A4-Größe abgezogen, und auf der Rückseite mit einem Stempel der »Redaktionen Aktuelt København« versehen sowie dem Titelvermerk: »Ungarske Flygtninge«. Das Foto zeigt meine Großeltern, einen Monat nach ihrer Ankunft in Dänemark; schick sehen sie aus, als wäre nichts gewesen. Mein Großvater hat ein Béret auf dem Kopf und ein Zigarillo zwischen den Lippen. Meine Großmutter trägt einen Mantel mit großem Fellkragen und um den Hals ein fein gestreiftes Seidenhalstuch. Ihre Hände stecken in schwarzen Lederhandschuhen. Unter den Arm hat sie lässig eine dänische Zeitung geklemmt. Solche Flüchtlinge wünscht sich doch jedes Land.

In den folgenden Jahren wurde Europa bereist, wie Schwarzweiß-Ansichten vom Atomium in Brüssel, vom Eiffelturm, von Sacré-Cœur, der Arena von Verona, dem Forum Romanum und dem Piccadilly Circus berichten. Und immer wieder Fotos von der neuen Heimat: Das Schloss in Helsingör, die königliche Leibgarde, die Kleine Meerjungfrau.

Sommer 1964: Gruppenfoto von jungen Flötisten bei

einem Ferienkurs in Nizza. Mein Vater trägt eine dunkle Hornbrille und steht vorne in der Mitte neben dem Professor; in der hintersten Reihe rechts eine junge Frau mit Sommersprossen, langen dunklen Haaren und Pony: meine Mutter. In diesem Sommer haben sie sich kennengelernt.

Sommer 1968: Neues Haus, neuer Garten, neues Hobby – ab jetzt alles in Farbe: Meine Großmutter spielt in rosaweiß karierter Bluse auf grünem Rasen Krickett und posiert albern für die Kamera.

August 1969: Hochzeit meiner Tante. Auf den Fotos, die davon im Album kleben, ist meine Großmutter im Vordergrund. Sie trägt ein dunkelgrünes bodenlanges Kleid, die Haare hat sie hochgesteckt und mit einer Art Diadem geschmückt. Sie strahlt. Irgendwo im Hintergrund ist auch die Braut zu sehen, meine Tante, in Weiß. Erzsi hat mir erzählt, dass meine Großmutter sich benommen habe, als wäre sie die Braut. Auch den Hochzeitstanz habe sie eröffnet, zusammen mit meinem Großvater. Sogar auf der Hochzeit ihrer einzigen Tochter: Die Schönste auf dem Fischmarkt war immer nur sie.

August 1971: Meine Großmutter hält ihr erstes Enkelkind auf dem Arm, meinen Cousin, gerade erst ein paar Tage alt. Sie lacht, die neue Rolle scheint ihr zu gefallen. Mein Großvater ist nicht auf dem Bild. Meine Tante hat mir erzählt, wie er reagiert hat, als sie ihm eröffnete, dass sie schwanger sei: »Dann muss ich bald mit einer Großmutter schlafen?« Sie lächelt nur halb, als sie es erzählt.

In dem Jahr, in dem ich geboren wurde, 1971, einen Monat nach meinem Cousin, zogen meine Großeltern in das Haus in Charlottenlund, in dem sie den Rest ihres Lebens wohnen sollten und das mir im Gedächtnis ist wie kein anderes Haus auf der Welt, nicht einmal die Häuser, in denen wir gewohnt haben. Ab hier bin ich nicht mehr auf die Erinnerung anderer angewiesen, ich erinnere mich selbst an fast jedes Detail. Hier stand eine Kommode, dort hing ein Bild – ich habe alles in mir gespeichert, als wäre ich damals mit der Kamera hindurchgegangen und hätte einen Film gedreht. Durch die Haustür geradeaus ging es ins Gästezimmer, dort ein Zoom auf das Bild an der Wand, ein düsterer Chagall-Druck, auf dem ein Mann mit grünem Gesicht Geige spielt, die Kamera fährt zurück in den Eingang und schwenkt scharf nach rechts, wo es durch das große Wohnzimmer hindurch in die Küche geht.

Es war ein Holzhaus, in U-Form gebaut, ein flacher Bungalow, braun gestrichen, der nach hinten sich öffnend eine Terrasse umschloss. Gleich wenn man hereinkam, umfing einen dieser spezielle Geruch: eine Mischung aus dem Parfum meiner Großmutter, einfacher Seife, Pumpernickel, feuchten Holzbrettchen und Hund, all das eingehüllt in die obligatorische Wolke aus nie kalt werdendem Zigarettenrauch.

Besonders gefiel mir der Totenschädel, der bei meinen Großeltern auf dem Regal im Eingangsbereich lag. Er war echt, mein Vater hatte ihn von einem befreundeten Zahnarzt geschenkt bekommen und »Maria« getauft, weil er angeblich von einem Nonnenfriedhof stammte. Im Kiefer steckten noch ein paar gelbe Zähne. Mein Großvater nahm ihn manchmal für mich herunter, und dann hielt ich ihn andächtig in der Hand und gruselte mich.

Ich weiß nicht, wie oft ich sie besucht habe. Alleine vielleicht nur zwei- oder dreimal. Aber es waren die aufregendsten Ferien, die ich kannte. Von München ging es mit dem Flugzeug nach Kopenhagen, wenn ich alleine reiste, bekam ich ein orangefarbenes Schild um den Hals, auf dem U. M. stand, Unbegleitete Minderjährige. Die Stewardessen waren wahnsinnig nett, ich durfte ins Cockpit, bekam Spielsachen geschenkt, und beim Aussteigen durfte ich vor allen anderen das Flugzeug verlassen und in einem Extrabus mit den Stewardessen zum Ankunftsbereich des Flughafens fahren. Und da sah ich dann meine Großeltern schon durch die Glasscheibe. Meine Großmutter in einem Ledermantel und mit rotem Kopftuch, Hund an der Leine, Zigarette zwischen den Fingern, sie sieht gelangweilt aus. Daneben mein Großvater, einen Hut auf dem Kopf. Er entdeckt mich, sagt etwas zu meiner Großmutter, winkt, sie guckt, sieht mich, lacht plötzlich, winkt jetzt auch. Die Stewardess geht mit mir durch den Zoll. Die Schiebetür tut sich auf, da sind sie, sie laufen auf mich zu, die Stewardess lässt meine Hand los, ich renne ihnen entgegen, der Hund kommt näher, da ist der Hund, ich werfe mich meiner Großmutter in den Arm und atme ihren Raucherduft ein. Endlich wieder da.

*

An einem sehr verregneten Sommertag fahre ich mit meiner Tante und meinem Cousin nach Charlottenlund. Meine Tante fährt uns mit ihrem Wagen in die Straße, in der meine Großeltern gelebt hatten, wir parken gegenüber von ihrem Haus. Die Gartentür steht offen, bunte Plastikspielsachen liegen herum. Wir sind etwas beklommen, als wir aussteigen. Da ist es also. Ein komischer Gedanke, dass da jetzt jemand anderes drin wohnt, offenbar eine Familie mit Kind. Das Haus ist nicht mehr braun gestrichen, sondern weiß. Es sieht unschuldig aus. Ein Haus.

Wir stehen etwas zu lange davor herum, um unauffällig zu sein. Bei einem weiteren Versuch, über den Zaun zu gucken, werden wir von einem etwa dreijährigen blonden Mädchen ertappt, das gerade aus der Gartentür kommt, uns sieht und auf der Stelle zurück ins Haus läuft. Etwas später kommt es auf dem Arm seiner Mutter zurück, die uns freundlich fragt, ob wir irgendetwas suchen.

Mein Cousin erklärt, wer wir sind. Sie bittet uns, so nett sind Dänen, herein.

Drinnen ist alles anders. Der Eingangsbereich ist mit Sisal ausgelegt und fast leer. Wohn- und Esszimmer sind nicht mehr holzgetäfelt, sondern weiß gestrichen, wodurch alles freundlicher und größer wirkt. Moderne Möbel, Glas, Chrom, helles Holz. Im Schlafzimmer ist ein neues Fenster hinzugekommen, und für die Kinder, es sind zwei, wurde ein ganzer neuer Raum hinten ans Haus angebaut. Es sieht alles aus wie in einem Möbel-Katalog, ein glückliches Heim für eine junge Familie. Schön ist das, schön, und irgendwie komisch.

Bevor wir gehen, gucke ich noch in das Gästeklo, das gleich vom Eingangsbereich abgeht. Und plötzlich ist alles wieder da. Hier, in diesem kleinen Raum, scheint die Zeit stillgestanden zu haben, dieselben hellblauen Kacheln wie zu Zeiten meiner Großeltern – und derselbe Geruch. Wie auch immer das möglich ist, der Geruch von kaltem Rauch und Seife hat sich irgendwie zwischen den feucht-kalten Kacheln festgesetzt. Ich schließe die Tür und setze mich auf den heruntergeklappten Klodeckel. Eine Erinnerung daran, hier nicht mit den Füßen zum Boden gekommen zu sein. Früher hing hier auf Augenhöhe rechts ein kleines Schild: »Life Vest under your Seat« stand darauf. Mein Großvater fand so etwas lustig. Ich mache die Augen auf, es ist nicht mehr da.

An diesem Abend sitzen wir lange zusammen am Esstisch meiner Tante. Eine Stimmung wie auf einem Fest nach einem Begräbnis. Wir lachen, trinken Rotwein, gucken alte Fotos an, erinnern uns an Kleinigkeiten. Dass meine Großmutter nicht Fahrrad fahren konnte, dass sie nachmittags Patiencen legte, dass sie zum Abendessen Rotweinschorle trank. Irgendwann geht meine Tante kurz aus dem Zimmer, kommt wieder zurück und legt eine DIN-A4-Mappe auf den Tisch, aus der sie ein Blatt Papier zieht, das in der Schrift meiner Großmutter beschrieben ist. Meine Tante hat nicht angekündigt, was sie da holt, und als ich es realisiere, kriege ich einen Schreck.

Es ist eine Wer-kriegt-was-Liste, datiert auf September 1991, also mindestens zwei Wochen vor ihrem Tod geschrieben. Da haben sie also zusammengesessen in Kopenhagen und überlegt, wer sich über was freuen könnte. Es war Teil ihres Countdowns zum Tod. Nichts ist ausgebessert, die Schrift sehr ordentlich, es ist ihr Testament.

Es sind keine spektakulären Reichtümer, die sie vermacht haben, sondern Dinge mit einem gewissen Wert, an denen sie hingen. Schmuck, Manschettenknöpfe, eine Sammlung antiker Münzen. Als meine Tante die Liste fertig vorgelesen hat, gehe ich kurz aus dem Zimmer. Ich will alleine sein. Ich weiß auch nicht, warum mich ausgerechnet dieser materielle Aspekt ihres Abschieds so berührt. Denn irgendwie war alles umsonst. Meinem Bruder bedeutet die Taschenuhr meines Großvaters nichts. Mein anderer Bruder hat die Manschettenknöpfe nie getragen, nicht sein Geschmack, und ich den Diamantring nicht. Die Sammlung mit antiken Münzen, die mein Cousin bekommen hat, ist seinem Vater aus dem Safe gestohlen worden. Meine Mutter hat eine Kette bekommen, die ich nie an ihr gesehen habe. Mein Vater einen Ring, der irgendwo in einem Banksafe liegt. Es sind nur Gegenstände, ein Ring, der mir nicht steht, aber mir kommt es plötzlich so vor, als ob es für meine Großeltern mehr gewesen ist. Etwas Besonderes. Etwas, das sie liebten. Und wir haben es nicht wertzuschätzen gewusst.

*

Im Mai 1991, fünf Monate vor ihrem Tod, waren meine Großeltern noch einmal in Budapest. Mein Vater hatte ein Konzert dort, und sie begleiteten ihn. Meine Mutter war auch mit dabei. Sie hatten sich im Radisson Béke einquartiert, einem Grandhotel mit langen Teppichfluren und vergilbtem Charme, etwa fünfhundert Meter von ihrer ehemaligen Wohnung am Oktogon entfernt. Ich war auch einmal dort, später. Vor der Tür stehen junge Männer mit Umhang und Portiers-Hütchen, rauchen, plaudern und denken gar nicht daran, einem mit dem Gepäck zu helfen.

Mein Großvater muss zu diesem Zeitpunkt schon ziemlich schwach gewesen sein, aber er bestand darauf, diese Reise zu machen. Meine Großmutter bedrängte den Arzt, mit dem sie befreundet waren, so lange, bis dieser dem Herzkranken gegen seine ärztliche Überzeugung eine Flug-Unbedenklichkeitserklärung ausstellte. Und so flogen sie nach Budapest.

Meine Mutter erzählt, die beiden hätten in der Hotel-Lobby Hof gehalten. Sie hätten sich schick gemacht und nachmittags Freunde empfangen. Und dann zählt meine Mutter ein paar ungarische Namen auf, die mir aber alle nichts sagen.

Ich stelle mir vor, wie sie auf einer der beigen Sitzgruppen gesessen und vor den Kellnern, die mit der Kaffeekanne herumgehen, ihre üblichen Dialoge geführt haben.

Kellner: »Möchten Sie noch etwas Kaffee?«

»Pista, möchten wir noch etwas Kaffee?«

»Hm, was meinen Sie, nehmen Sie noch eine Tasse?«

»Ja, warum nicht.«

»Wenn Sie noch etwas nehmen, dann nehme ich auch noch.«

»Danke, wir nehmen gerne noch eine Tasse.«

Zwei Fotos kenne ich von dieser Reise. Auf einem sitzen meine Großeltern mit meiner Mutter und ein paar mir unbekannten älteren Menschen um einen Tisch. Meine Großmutter sieht auf dem Bild unglamouröser aus, als ich sie in Erinnerung habe, mehr nach einwärts gekehrten Füßen. Eine Hand hat sie an einem Aschenbecher, zwischen den Fingern die obligatorische brennende Zigarette; mit der anderen Hand hält sie ihre rote Handtasche auf ihrem Schoß fest, was ein wenig ängstlich wirkt, oder verkrampft, auch wenn sie auf dem Bild lacht. Mein Großvater sitzt ganz hinten am Tisch. Er hat den Kopf schräg gelegt und guckt traurig lächelnd auf zwei mir unbekannte, lachende Frauen. Eigentlich sehen alle auf diesem Foto entspannt und glücklich aus, nur meine Großeltern nicht.

Auf dem anderen Foto ist nur mein Großvater zu sehen. Es ist offenbar auf der Terrasse eines Cafés aufgenommen, im Hintergrund sind ein Sonnenschirm und ein weiß livrierter Kellner zu sehen. Mein Großvater guckt auf den Tisch vor sich, der aber unterhalb des Bildausschnitts liegt. Er hat seine weißen und buschigen Augenbrauen in der Mitte nach oben gezogen, er sieht bekümmert aus. Und sein Hals guckt so sehnig und dünn aus dem Hemd heraus, dass es etwas von einer Schildkröte hat, die ihren Panzer verloren hat.

An einem Abend gingen meine Großmutter und mein Vater ins Theater, mein Großvater war dafür zu schwach, meine Mutter nicht flüssig genug im Ungarischen – also verbrachten die beiden den Abend zusammen, Schwiegertochter und Schwiegervater. Sie seien im Hotelrestaurant essen gewesen, erinnert sich meine Mutter, und hätten einen wunderbaren Abend gehabt. Er sei sehr charmant gewesen. Ein guter Zuhörer, galanter Tischherr, ein furchtbar lieber Mensch. Ob ich wisse, dass er sehr anzüglich sein konnte?

Ich denke an den weißen Plastikaschenbecher, der vor zu viel Sex warnte.

Als meine Mutter von ihm spricht, klingt Bedauern mit, letzlich doch so wenig von ihm gewusst, über so viele Dinge nie gesprochen zu haben. Aber dann erinnert sie sich wieder an einen seiner Witze, weißt du, wie er über die Beine deiner Großmutter gesprochen hat, und ich weiß es, und sie erzählt es trotzdem. Familiengeschichten.

Meine Mutter erzählt mir auch eine Szene, die, wie sie meint, auf dieser Reise nach Budapest stattgefunden hat und die sie als unangenehm in Erinnerung hat. Ein Essen mit mehreren Leuten, sie weiß nicht mehr wo, sie weiß nicht mehr wer. Mein Großvater, wie immer tadellos gekleidet, kleckert sich Sauce auf die Krawatte. Meine Großmutter tadelt ihn. Können Sie nicht aufpassen, sehen Sie nur, was Sie gemacht haben, die schöne Krawatte, Pista, passen Sie doch auf! Vor allen Leuten schimpft sie ihn aus, diesen würdigen, älteren Herrn mit dem weißen Schnurrbart, macht ihn vor aller Augen zu einem dummen kleinen Jungen.

Und noch etwas erwähnt sie – ob ich das noch wüsste: dass mein Großvater, wenn andere Leute um ihn herum waren, immer vollkommen und ganz und gar auf meine

Großmutter fixiert gewesen sei. Sprach ihn jemand an und fragte ihn etwas, so sei es typisch gewesen, dass er sich ohne Entschuldigung zu meiner Großmutter gewandt habe, mit der Frage: »Was sagt er?« Als spräche nur sie seine Sprache und niemand sonst könne ihn verstehen.

Wie meine Großeltern Budapest wohl fanden, nach so vielen Jahren? Allzu viel wird sich nicht verändert haben in der Stadt seit 1956 – ein paar stalinistische Klotzbauten mehr, ein paar Jugendstilgebäude weniger. Ob sie sich zu Hause fühlten? Ob es sie befremdet hat, von jedem verstanden zu werden, wenn sie ein Privatgespräch führten? In Dänemark hatten sie es sich angewöhnt, auch Dinge laut zu besprechen, die nicht für die Ohren anderer bestimmt waren – wenn sie Ungarisch sprachen, verstand sie ja niemand. Und so standen sie im Supermarkt oder saßen im Restaurant und zogen nach Herzenslust über diejenigen her, die um sie herum waren. Genauer gesagt zog natürlich nur meine Großmutter über andere Leute her, und mein Großvater stimmte ihr zu, beide in normaler Unterhaltungslautstärke. Es war vorgekommen, dass sich jemand umgedreht und auf Ungarisch etwas zurückgesagt hatte, aber nicht oft genug, um es ihnen abzugewöhnen.

Nach der Reise erzählte mein Großvater dem dänischen Arzt, der sehr erleichtert war, ihn wohlbehalten zurück in Dänemark zu wissen, von der Reise: Es habe sich ein Kreis geschlossen, habe er gesagt. Er habe in seiner Heimat ein Konzert seines Sohnes gehört, nun sei es »vollbracht«. »Es ist vollbracht«, genauso habe er das gesagt, erzählt mir der Arzt. »Er hat es gesagt wie Jesus am Kreuz.«

Zurück in Kopenhagen, ging es meinem Großvater gesundheitlich immer schlechter. Sein Gewicht fiel innerhalb weniger Wochen um zwölf Kilogramm. Er war immer müde, vor allem morgens, nach dem Frühstück ging es etwas besser. Abends hatte er plötzliche Schweißausbrüche, er litt unter Schlafstörungen, wachte nachts mehrmals auf, was früher nicht vorgekommen war. Und er war niedergeschlagen, sogar traurig. Auch dies war absolut ungewöhnlich für ihn, der sein Leben lang ausgeglichen gewesen war (wenn er nicht gerade Auto fuhr). Ende August konsultierte er einen Arzt, der ihm eine depressive Verstimmung attestierte, die auch eine Nebenwirkung der Schlaftabletten sein könne. Er sei geistig in tadelloser Verfassung, aber körperlich schwach und deswegen depressiv – so steht es in dem Befund, den mein Großvater in seinen Unterlagen hatte. Es ging zu Ende. Er wusste, es würde nicht mehr lange dauern.

*

Am Tag bevor meine Großeltern sich das Leben nahmen, am 12. Oktober 1991, war meine Kusine bei ihnen zu Besuch. Es war schon dunkel, als sie am Nachmittag kam – die Herbsttage sind kurz in Dänemark –, und meinen Großvater bekam sie gar nicht zu Gesicht. Er schlafe schon, sagte meine Großmutter, aber sie solle schön grüßen.

Meine Kusine erinnert sich nicht gern an diesen Besuch. Es sei bedrückend gewesen, erzählt sie, unsere Großmutter habe traurig gewirkt. Es kann natürlich sein, dass sie erst im Nachhinein in der Erinnerung meiner Kusine traurig wirkte, aber wenn meine Kusine davon erzählt, schüttelt sie sich ein bisschen, als wolle sie etwas Unangenehmes loswerden, und schickt ein entschuldigendes Lachen hinterher.

Sie habe sich im Wohnzimmer auf das Sofa gesetzt, meine Großmutter habe eine Schallplatte aufgelegt, eingelegt vielmehr, denn sie besaßen ein modernes Gerät von Bang & Olufsen, dessen Plattenteller geräuschlos aus- und wieder einfuhr. Ich erinnere mich, dass man durch den braunen Plexiglasdeckel zusehen konnte, wie der Tonabnehmer dann auf Position fuhr und die Nadel sich auf die Rille senkte, es war etwas Futuristisches daran, das mich sehr beeindruckte. Dann setzte sich meine Großmutter zu ihr auf das Sofa. Sie hatte Wagner aufgelegt. »Tristan und Isolde«, »Isoldes Liebestod«. Draußen war es dunkel, mein Großvater schlief, eine rote Stehlampe brannte und verbreitete ein kleines warmes Licht. Die Sängerin begann, wie von ferne erhob sich sanft ein Klarinettenklang, dann Streicher. Meine Kusine verstand den deutschen Text nicht, aber er schien von etwas Traurigem zu handeln, eine Art getragenes Seufzen, das nach und nach höher wurde, in gleichem Maße wurde das Orchester drängender. Meine Großmutter schien entschlossen, den ganzen »Liebestod« anzuhören. Sie saß ruhig da, aufrecht wie immer, der Hund war neben sie aufs Polster gesprungen, und sie streichelte langsam seinen Kopf und sagte nichts. Volle acht Minuten oder wie lange die Arie in der Aufnahme, die meine Großeltern besaßen, eben war. Meine Kusine fand die Situation unangenehm. So untypisch ernst für meine Großmutter, die für gewöhnlich lieber plauderte, »Hast du ›Dirty Dancing‹ gesehen und mochtest du es?«, »Was hältst du von König Ludwig, dem Zweiten, und Neuschwanstein?«, solche Sachen besprach sie gern.

Als der letzte Takt verklang, stand meine Großmutter auf, ging zum Plattenspieler, betätigte den Knopf, der den Tonarm zurück auf den Anfang fahren ließ, und »Isoldes Liebestod« fing von vorne an. Diesmal blieb meine Großmutter neben dem Plattenspieler stehen. Wieder diese traurige Melodie, ganz einfach der Gesang, wie ein Schlaflied für ein Kind, dazu Streichertremolo, Hörner, höher und höher die Stimme der Sängerin, deren Vibrato mehrere Töne umfasst. Plötzlicher Einbruch nach Moll.

»Kennst du die Geschichte von Tristan und Isolde?«, fragte meine Großmutter, die Musik leiser drehend.

Meine Kusine schüttelte den Kopf, »nein«.

Und dann erzählte ihr meine Großmutter den Hergang der Tragödie. Wie Tristan starb, und Isolde ihn so liebte, und ihn ansieht, im Tod, wie sie neben der Leiche des Geliebten steht. Und Freude empfindet, Freude!

Isolde singt: »Mild und leise, wie er lächelt, wie das Auge hold er öffnet, seht ihr's Freunde? Seht ihr's nicht? Immer lichter, wie er leuchtet, stern-umstrahlet hoch sich hebt?«

Meine Großmutter macht wieder leiser. Isolde will nicht alleine leben, erklärt sie meiner Kusine, so sehr liebt sie ihren Tristan.

Meine Kusine, damals sechzehn Jahre alt, fühlt sich

überfordert. Das Ganze kommt ihr unheimlich vor, sie versteht nicht, warum unsere Großmutter ihr diesen Vortrag hält. Sie versteht nicht, was meine Großmutter von ihr will. Würde jetzt noch etwas kommen? Wollte sie mit ihr in die Oper gehen, und dies war die Vorbereitung?

»Ertrinken – versinken – unbewusst – höchste Lust«, singt Isolde.

»Sie folgt ihm in den Tod«, sagt meine Großmutter. »Hörst du, jetzt hat das Gift gewirkt, hörst du wie schön, jetzt ist sie tot.«

Meine Kusine versucht so interessiert wie möglich zu wirken. Sie befürchtet, dass meine Großmutter den Tonarm ein drittes Mal zum Anfang bringen wird. Sie denkt über Ausreden nach, gleich gehen zu müssen. Aber nachdem der letzte Takt zum zweiten Mal verklungen ist, knipst meine Großmutter die Lautsprecher aus und sagt munter »Komm, wir spielen Karten. Vom letzten Mal steht es zwei zu eins für mich«.

*

Als ich klein war, führte ich eine geheime Liste darüber, wer von meinen Großeltern als Erstes sterben sollte. Ich ging es andersherum an, denn die Liste entstand aus Liebe und Angst: Platz eins belegte also, wer am längsten leben sollte. Ich war damals vielleicht sechs oder sieben Jahre alt und rechnete eigentlich stündlich mit dem Ableben meiner Großmütter und Großväter, so alt kamen sie mir alle vor. Ihr nahender Tod war mir immer vor Augen, und ich traf Vorkehrungen. Das erbe ich, oder?, fragte ich meine Heidelberger Großmutter bei jedem Wiedersehen und zeigte auf das goldene Armband, das sie immer trug, und sie lachte und sagte Ja. Sie war gerade sechzig geworden und bei bester Gesundheit.

Meine Heidelberger Großmutter, die Mutter meiner Mutter, stand auf meiner Geheimliste auf Platz eins. Sie sollte von meinen vier Großeltern als Letzte sterben, wenn sie denn überhaupt sterben mussten, was ich, wenn es irgendwie gegangen wäre, gerne mit allen Mitteln verhindert hätte. Auch das goldene Armband hätte ich dafür drangegeben. Meine Heidelberger Großmutter war so klein, dass ich ihr schon als Zehnjährige gerade in die Augen gucken konnte, und so lieb, dass ich fand, sie habe ein sehr langes Leben verdient. Platz zwei belegte mein Kopenhagener Großvater, der gutmütigste und geduldigste Mensch meiner Welt. Auf Platz drei war mein Heidelberger Großvater, ein gebildeter, vornehmer Mann, der mit uns Enkeln wunderbar albern sein konnte. Und auf dem letzten Platz landete meine Kopenhagener Großmutter. Ausgerechnet sie, der ich mich doch eigentlich so verbunden fühlte. Und so ist es nicht nur eine besonders makabere Liste, sondern auch eine traurige. Denn sie offenbart, neben meiner kindlichen Anmaßung, auch mein Wertesystem, in dem meine Kopenhagener Großmutter, der ich doch angeblich so ähnlich war, so weit unten angesiedelt war: Sie war launenhaft, unberechenbar und egoistisch. Genau wie ich. Und gehörte deshalb bestraft.

Und dann kam alles ganz anders. Meine geliebte kleine

Heidelberger Großmutter starb als Erste. Sie fiel eines Tages beim Wäscheaufhängen um und war tot. Dann starben meine Kopenhagener Großeltern, sie starben gleichzeitig, selber Tag, selbe Stunde. Viel später starb mein Heidelberger Großvater. Es gab keinen vierten Platz.

*

Wie fühlen sich zwei Menschen an ihrem letzten Tag? Denken sie sich bei allem, was sie tun, dass es das letzte Mal ist? Das letzte Mal im Garten, das letzte Glas Milch, das letzte Mal Zähneputzen? Oder hat man solche Gedanken an diesem Tag bereits hinter sich? Hat man innerlich während der vorangegangenen Wochen und Monate Abschied genommen von all den Dingen, die das Leben so ausmachen, im Guten wie im Schlechten, und verbietet sich jeden Gedanken an das Ende und lebt weiter wie bisher, bis die Stunde gekommen ist, an der man geplant hat zu sterben?

Wie waren meine Großeltern an ihrem Todestag, ich habe mich das oft gefragt. Haben sie geweint? Waren sie überdreht? Angespannt? Still? Es wird sicher alles etwas einfacher gemacht haben, dass sie zu zweit waren. Geteiltes Leid ist halbes Leid. Aber stimmt das? Hat es für beide gestimmt?

Alle, mit denen ich über den Tod meiner Großeltern gesprochen habe, teilten meine Ansicht, es sei die Idee, der Wille und Plan meiner Großmutter gewesen, sich zusammen mit meinem Großvater das Leben zu nehmen. Viele waren der Überzeugung, dieser Plan habe bereits seit Langem bestanden. Und niemand hätte sie davon abbringen können, nicht einmal mein Großvater, der, da sind sich alle einig, bestimmt lange dagegen gekämpft und schließlich klein beigegeben haben wird. Wie immer.

In der Todesanzeige, die in einer dänischen Zeitung gedruckt wurde und die ja für Außenstehende wegen des identischen Todestages Fragen aufwerfen konnte, stand: »Ihre große Liebe ist die Antwort.« Das ist die schönste Art, ihren Doppelselbstmord zu deuten. Aber ist das die ganze Wahrheit? Spricht nicht vor allem Angst aus dieser Tat? Die Angst einer Frau, nicht geliebt zu sein, allein zu sein, anderen zur Last zu fallen, vielleicht einmal selbst krank und gebrechlich zu sein? Und gehört nicht auch eine beachtliche Portion Aggression dazu, vor den eigenen Kindern so zu tun, als sei man vollkommen allein auf der Welt?

*

Mein Großvater sitzt immer noch auf dem Sofa. Er hat das Buch »Final Exit« in Händen, aber die hat er sinken lassen, und er hat die Augen geschlossen.

Meine Großmutter kommt ins Zimmer.

»Warum sitzen Sie im Dunkeln?«, sagt sie und macht die Stehlampe neben dem Sofa an. Sie hat einen Block Papier und einen Stift in Händen.

Mein Großvater öffnet die Augen.

»Und was sagen sie darüber?« Sie setzt sich neben ihn.

Er scheint nicht zu wissen, was sie meint.

»Es ist bestimmt sicherer mit Injektion, nein? So geht es direkt in die Blutbahn, es ist logisch.«

»Hm.« Mein Großvater nimmt das Buch hoch, guckt hinein, blättert um.

»Das Einzige, was dagegen spricht«, fährt meine Großmutter fort, »ist, dass ich nicht weiß, ob ich schnell genug bin. Ich würde Ihnen die Spritze geben. Und erst hernach mir. Ich weiß nicht, was meinen Sie? Wie viele Sekunden wird es dauern, bis das Schlafmittel wirkt?«

Mein Großvater blättert ein paar Seiten zurück. »Wo war das denn …«, murmelt er.

»Aber sicherer ist es bestimmt.« Meine Großmutter scheint mit sich selbst zu sprechen. »Es ist viel direkter. Sonst dauert es – was meinen Sie, eine Minute? Länger? Viel länger nicht, das steht doch alles da drin, nein, nun zeigen Sie mal, wo steht das denn? Wo gucken Sie denn?«

Sie nimmt ihm das Buch aus den Händen, er lässt es geschehen.

»Ich überlege …«, sagt sie, während sie ein paar Mal hintereinander schnell umblättert, »vielleicht sollte ich Ihnen eine Spritze geben und es selbst trinken, ich wüsste nur gerne, wie lange das … Ah, hier.«

»Ich bin gegen eine Injektion«, sagt mein Großvater. »Lassen Sie es uns genau so machen wie wir es besprochen haben.«

Meine Großmutter fährt mit dem Finger die Zeilen entlang. »Injection is the perfect way, of course, but … hm, hm, hm.«

»Wir sollten kein Risiko eingehen«, sagt mein Großvater.

»Eben«, sagt meine Großmutter und liest weiter den englischen Text. »Time to coma usually one minute; average five point six minutes …«

Das Telefon klingelt.

Meine Großmutter erschrickt so, dass sie zusammenzuckt.

»Wer kann das sein?«, fragt mein Großvater.

»Woher soll ich das wissen«, sagt meine Großmutter, die jetzt erst merkt, wie angespannt sie ist.

Es klingelt zum zweiten Mal. Das Klingeln kommt ihr sehr laut und schrill vor. Als wolle jemand sie stören.

»Vielleicht ist etwas mit dem Hund?«, sagt mein Großvater.

»Vielleicht. Vielleicht aber auch wieder Sebastian. Oder die Münchner. Oder es hat sich jemand verwählt.« Meine Großmutter ist jetzt sehr genervt.

Es klingelt noch ein paar Mal, dann hört es auf.

»Bestimmt ist etwas mit dem Hund«, sagt mein Großvater.

»Bestimmt nicht, Pista! Warum würde Inga hier anrufen, denken Sie doch nach. Wenn etwas mit dem Hund wäre, würde sie in München anrufen, Pista, sie hat die Nummer, warum soll sie hier anrufen, warum?«

Meine Großmutter wirft das Buch mit einem lauten Knall auf den Sofatisch.

»Und warum soll etwas mit dem Hund sein? Was soll mit dem Hund sein? Es geht ihm gut. Es ging ihm am

Vormittag gut, es ging ihm am Mittag gut, warum soll das jetzt anders sein?«

Mein Großvater greift nach dem Buch.

»Vielleicht haben wir vergessen, den Korb mitzugeben, oder etwas anderes ist …«

»Wir haben es aber nicht vergessen, Pista, wir haben an alles gedacht.« Meine Großmutter ist jetzt lauter, als sie vorgehabt hatte. »Während Sie sich schön ausgeruht haben, haben wir alles zusammengepackt, den Korb und das Futter, die Leine, die Bürste, sogar Hundekekse haben wir eingepackt. Und jetzt sind wir am Flughafen, wir fliegen nach München, Pista, verstehen Sie das denn nicht, deshalb haben wir Mitzi ja zu Inga gebracht.«

Meine Großmutter stützt ihr Kinn in die Hände und sieht aus, als versuche sie sich zu beruhigen. Einundzwanzig, zweiundzwanzig …

»Und, haben Sie sich entschieden?«, fragt mein Großvater ruhig.

Meine Großmutter zieht ein Päckchen Prince Denmark aus ihrer Tasche heraus und zündet sich eine an. Sie nimmt einen tiefen Zug.

»Sie haben recht, wir machen es wie geplant«, sagt sie. »Ich habe nur Angst, Sie sterben zu schnell, ich möchte nicht allein sein.«

Sie steht schnell auf. Als sie aus dem Zimmer geht, schaltet sie das Licht an.

*

Zusammen mit meiner Tante besuche ich in einem Kopenhagener Altersheim zwei Frauen, die früher mit meiner Großmutter befreundet waren und auch in ihr Seniorenturnen gingen. Die eine, Clara, ist 90 und wohnt schon ein paar Jahre hier; die andere, Margarete, ist 82 und erst vor wenigen Wochen hierher gezogen.

Beide sehen aus, als hätten sie weite Teile ihres Lebens im Freien verbracht – die Haut leicht gegerbt und gefleckt, ihre Haare sind weiß, beide haben blitzblaue Augen und ein herzliches Lachen. Wir treffen sie in Margaretes neu bezogenem Senioren-Apartment und müssen auch gleich schon los, es ist Mittagessenszeit, und der Speisesaal weit entfernt. Die seien sehr streng hier mit den Zeiten, sagt Clara und nimmt sich ihren Gehstock, sie sagt es zu meiner Tante, und die übersetzt es für mich.

Wir nehmen den Aufzug, der behindertengerecht mit Haltegriffen ausgestattet ist. Im Souterrain geht es einen langen Gang entlang. Linoleumfußboden. Wir überholen ein paar Leute, die langsam hinter Gehwägelchen herrutschen. Alle tragen Hausschuhe. Die Räder der Wägelchen quietschen auf dem Linoleum.

Im Speisesaal ist es wie in einer Jugendherberge, nur dass hier alle alt sind – blaue Tabletts, faseriges Fleisch, dazu Kartoffelbrei und Erbsen aus der Dose. Clara und Margarete essen ganz vorsichtig, Bissen für Bissen, sie kauen lang. Später trinken wir oben bei Margarete Tee aus weißblauem Kopenhagener Porzellan. Wir machen Smalltalk, und ich bin froh, dass meine Tante mitgekommen ist, denn so können sie Dänisch sprechen, und sie übersetzt dann für mich, und zwischendurch habe ich Pausen, in denen ich versuche zu erraten, über was sie wohl sprechen. Es geht um Enkel, um die Vorteile dieses Seniorenheims, um den besonders milden Herbst in diesem Jahr. Der Nachmittag zieht sich, die Zeit scheint nicht zu vergehen, fünf Minuten, zehn Minuten, eine Ewigkeit. Sogar Claras Ohrläppchen sind faltig. Sie hat wuchernde Leberflecke, dagegen sieht Margarete fast noch jung aus, fast. Auch über meine Großeltern sprechen wir. Vera – eine liebe Freundin, so eine beeindruckende Persönlichkeit, was für ein Paar. Man habe viel über Musik gesprochen, sagen beide, über Konzerte, die Oper, das kulturelle Leben Kopenhagens. Und dann das Ende … Sie schütteln beide den Kopf.

Ich habe nicht das Gefühl, dass mir diese beiden Frauen, so nett sie auch sind, irgendetwas über meine Großeltern erzählen können, das ich noch nicht weiß. Sie sind vielmehr weitere Vertreter des Kopenhagener Publikums, vor denen meine Großeltern ihr Erfolgsstück gaben: das interessante, faszinierende Paar, das Musik liebte. Meine Großmutter hielt sie freundlich plaudernd auf Abstand, zeigte ihnen die glänzende Oberfläche ihres Lebens, rauchte dazu Zigaretten und sah fabelhaft aus. Es war die Rolle ihres Lebens, sie spielte sie fehlerlos.

Ich versuche mir vorzustellen, es hätte nie einen Selbstmord gegeben. Mein Großvater wäre im Frühjahr 1992 einen natürlichen Tod gestorben. Und meine Großmutter wäre heute so alt wie Clara und Margarete. Ob sie auch in einem Heim wohnen würde? Vielleicht in diesem, das als gute Adresse gilt?

Als wir gehen, denke ich, dass ich meine Großmutter verstehen kann.

*

Etwa sechs Wochen vor ihrem Tod kam meine Großmutter unangemeldet bei meiner Tante vorbei. Das war sehr ungewöhnlich, denn die beiden hatten in dieser Zeit nicht den allerbesten Kontakt. Außerdem fuhr meine Großmutter ungern Auto, und es war überhaupt noch nie vorgekommen, dass sie ohne Verabredung von Charlottenlund ins etwas nördlich von Kopenhagen gelegene Lyngby kam, wo meine Tante damals wohnte, klingelte und einfach mal guckte, ob jemand da war. Meine Tante war also sehr überrascht, als sie durch die Gegensprechanlage die tiefe Stimme ihrer Mutter hörte, die fragte, ob sie heraufkommen dürfe. Sie brachte Erdbeerkuchen vom Konditor mit, das Feinste, was sie kannte, sagt meine Tante. Bist du mir böse?, hätte sie anstelle einer Begrüßung gefragt. Und ihr aufgetragen, ihren Vater zu besuchen, es gehe ihm sehr schlecht.

Also fuhr meine Tante kurze Zeit später nach Charlottenlund. Sie erschrak, als sie meinen Großvater sah. So dünn war er geworden. Er lag im Bett, daneben stand ein Sauerstoffgerät. Sein Atem ging schwer, und er war sehr müde. Sie sprachen kurz, nichts Richtiges, nichts Wichtiges, dann wollte er schlafen. Meine Tante weiß nicht mehr, was sie erwartet hatte, nur noch, dass sie enttäuscht war, als sie ging.

Das war Anfang September.

Sie haben sich nach und nach von uns allen verabschiedet über die letzten Wochen und Monate, auch wenn wir das erst im Nachhinein verstanden haben, verstehen wollten.

Zu meinem Geburtstag Ende September schickten mir meine Großeltern einen Umschlag, in dem, in eine Glückwunschkarte gesteckt, ein Tausend-Mark-Schein war. Tausend Mark! Ich hatte zuvor nicht einmal gewusst, welche Farbe ein Tausend-Mark-Schein hat (braun). Ich solle mir davon etwas Schönes kaufen, hatten sie in der Schrift meines Großvaters dazugeschrieben, etwas, das mich immer an sie erinnern würde. Dann wurden sie grundsätzlich: »Wir haben uns immer gut verstanden, Du stehst uns sehr nahe.« Und zuletzt wünschten sie mir »Alles Liebe und Gute in den kommenden Jahren«.

Hätten sie es deutlicher sagen können?

In meinem Tagebuch aus dem Jahr 1991 kann ich nachlesen, wie ich es damals gedeutet habe. Mir war bewusst, dass mein Großvater schwer krank war und dass dieser Brief nach Abschied klang, aber ich dachte nicht, dass meine Großmutter wahr machen würde, was sie meinen Eltern gegenüber angekündigt hatte. Meine Mutter hatte mir das damals erzählt. Sie mache sich Sorgen um meine Großmutter, die habe vor, sich das Leben zu nehmen, wenn mein Großvater stirbt, aber – ich erinnere mich noch gut an dieses Gespräch –, aber sie habe meiner Großmutter angeboten, dass sie zu uns nach München ziehen könnte, und damit, so schien es, war das Problem erledigt. Zumindest vertagt. »Sie theatralisiert gerne und ist gerne hochdramatisch«, schrieb ich damals, mich selbst beruhigend, in mein Tagebuch.

An dem Abend, an dem meine Großeltern sich in Kopenhagen das Leben nahmen, war ich zusammen mit ein paar anderen Leuten in München bei einer Freundin zu einem Abendessen eingeladen. Es war derselbe Abend, der Abend des 13. Oktober 1991, ich habe noch den Kalender aus diesem Jahr. Ich erinnere mich, wie ich der Tischrunde erzählte, dass wir uns Sorgen machten. Dass mein Großvater sehr krank sei, sterbenskrank, und meine Großmutter angekündigt habe, nicht einen Tag ohne ihn leben zu wollen. Sie wollten sich zusammen umbringen. Das erzählte ich. So mal eben bei Tisch, die Nudeln wurden gerade abgeräumt. Ich weiß noch, dass ich mich unwohl fühlte, kaum, dass ich es erzählt hatte. Dass ich plötzlich dachte, das ist zu privat, das hätte ich lieber für mich behalten sollen. Aber da war es schon raus. Und ich merkte, wie das Thema die anderen faszinierte. Wie alle aufhorchten und nachfragten. Wie es sozusagen ein gutes Partythema war. Und wie es doch auch gar nicht sicher war, dass sie sich umbringen würden. Wie es doch viel wahrscheinlicher war, dass sie nur mit dem Gedanken spielten, es nur so dahingesagt hatten, aber dass meine Großmutter doch wusste, dass sie jederzeit bei uns in München leben konnte. Oder bei Erzsi in Amerika. Und man wusste ja auch gar nicht, wann es überhaupt so weit wäre. Wenn es je dazu käme. Was es hoffentlich nicht würde. Es war nur eine Geschichte, nur eine gute Geschichte. Das sagte ich mir. Und was hätte man denn auch machen sollen.

Mein Vater hat mir von einer Schachtel mit Papieren meiner Großeltern erzählt, die er in irgendeiner Schublade aufbewahre. In dieser Schachtel hatte er auch das Dokument gefunden, aus dem hervorging, dass mein Großvater nicht in Mauthausen, sondern in Gunskirchen befreit worden war. Er weiß selbst nicht, was sonst noch alles darin ist, es seien einfach irgendwelche Papiere, sagt er, die bei meinen Großeltern herumlagen, als er in Kopenhagen war, um nach ihrem Tod ihren Haushalt aufzulösen. Er hat einfach ein paar davon mitgenommen, weggepackt und nie wieder angeguckt. Und jetzt sitzen wir bei meinen Eltern zu Hause am Küchentisch, und vor uns liegt diese Schachtel, auf die der Deckel nicht passt, weil sie übervoll ist mit Papieren.

Obenauf liegt ein Packen Briefe, die an meinen Vater adressiert sind. Es sind die Beileidsschreiben, die er nach dem Tod meiner Großeltern bekam. Zur Seite damit. Darunter die letzte Steuererklärung meiner Großeltern. Auch nicht so interessant, finden wir. Darunter ein Brief der medizinischen Fakultät der Universität von Szeged, aus dem hervorgeht, dass mein Großvater ihr seine Fachliteratur vermachte, darunter 27 Jahrgänge des »Journal of Bone and Joint Surgery«. Nach und nach nehmen wir alles heraus. Passbilder meines Großvaters aus verschiedenen Jahrzehnten und Brillenmoden, Porträtfotos von meinem Vater als Kind, ein Kalender, der in ihrem Todesjahr in ihrer Küche hing, in den aber nur Geburtstage eingetragen sind und beinahe jede Woche einmal der Vermerk »Konzert«. Dann zieht mein Vater einen Ausriss aus einer Zeitung aus der Schachtel. Man kann erkennen, dass es ein Teil von der ersten Seite der Zeitung ist, die meine Großeltern abonniert hatten, der »Berlingske Tidende«, es ist ein kurzer Artikel aus der Nachrichtenspalte: »Håndbog i selvmord« lautet die Überschrift, die mit Bleistift unterstrichen ist. Es ist der Artikel, in dem sie von der Existenz des Buches erfuhren. Sie hatten ihn ausgerissen und aufgehoben, und aus irgendeinem Grund hat mein Vater ihn in die Schachtel gepackt, und jetzt halte ich ihn in der Hand, den Originalartikel, der meinen Großeltern in den Tod verhalf: Im Text steht, dass in Amerika ein Buch erschienen sei, das eine Anleitung zum Selbstmord gebe. Es heiße »Final Exit« und führe die Bestsellerliste der »New York Times« an. Jemand, ich nehme an, meine Großmutter, hat den Titel des Buchs mit Bleistift eingerahmt, drei Zeilen weiter unten den Namen des Autors unterstrichen, und die Striche am Rand zu einem geometrischen Muster zusammengeführt, wie man es beim Telefonieren malt. Neben die Überschrift hat sie auch eine Art bauchige Zwiebel gezeichnet, vielleicht ist es auch eine Variation der Spielkartenfarbe Pik. Der runde Körper ist durch Schattenschraffur dreidimensional herausgearbeitet.

Noch etwas haben wir in der Schachtel gefunden: einen kleinen Zettel, auf den meine Großmutter auf Ungarisch etwas notiert hat. Untereinander stehen da folgende Punkte:

– 18.30 leichter Tee und Toast;

– 19 Uhr Antibrechmittel (normale Dosis);

– 19.30 Tabletten, Schlafmittel.

Sie hat es in derselben eckigen Schrift geschrieben, in der sie auch unsere Geburtstage in den Küchenkalender schrieb. Eine ganz normale Liste: die To-do-Liste für ihren Selbstmord.

*

Meine Großmutter sitzt auf dem roten Sofa, dessen Kissen so weich sind, dass man immer ein wenig zu tief hineinsinkt, um ohne Anstrengung wieder hochzukommen, und wickelt eine Schachtel in Geschenkpapier ein. Auf das Papier sind Nikoläuse gedruckt, es stammt vom letzten Weihnachten, aber das stört sie nicht. Ist ja auch bald wieder so weit. Zwischen den Fingern der linken Hand hält sie eine brennende Zigarette, die fast zur Hälfte schon aus Asche besteht. Auf dem Sofatisch liegen bereits ein paar fertig gepackte Geschenke. Und weitere Bögen Geschenkpapier, alle schon einmal gefaltet gewesen und wieder glatt gestrichen, Tesafilm, eine Schere. Und ein paar Gegenstände. Eine durchsichtige Plastik-Box, in der Münzen sind. Ein Paar Manschettenknöpfe, das in einer kleinen Schachtel in einem Seidenkissen steckt. Eine goldene Taschenuhr.

Von seinem Sessel aus guckt mein Großvater ihr dabei zu, wie sie ein goldenes Schleifchen um die eingepackte Schachtel bindet. Sie zieht die Enden ein paar Mal scharf über die Klinge der Schere, um sie zu kringeln. Als sie fertig ist, legt sie es zu den anderen Geschenken.

»Schön«, sagt mein Großvater.

Meine Großmutter nimmt sich die Box mit den Münzen.

»Wer bekommt Ihren Ring?«, fragt mein Großvater.

Meine Großmutter schaut auf.

»Welchen Ring meinen Sie?«

»Den Sie gerade tragen.«

»Erzsi«, sagt meine Großmutter, ascht ab – ein Wunder, dass die Asche überhaupt so lange an der Zigarette gehalten hatte –, und zieht zwischen den Papieren ein rotweiß gestreiftes hervor, das ihr die richtige Größe zu haben scheint.

»Und meine Uhr?«

»Bitte?« Sie stellt die Box auf das Papier und faltet dessen Enden probeweise darüber. Passt.

»Meine Uhr, wer kriegt die?«

»Ihre Uhr?« Meine Großmutter wirft ihm einen Blick zu, der sagt: Das haben wir doch schon so oft besprochen, bitte, denken Sie einmal selber nach. Sie wickelt das rotweiß gestreifte Geschenkpapier ordentlich um die Box und stellt den Aschenbecher oben drauf, um zu verhindern, dass sich das Papier wieder auffaltet – kurzer Zug an der Zigarette –, dann greift sie nach der Rolle Tesafilm.

»Wir können bald etwas essen«, sagt sie.

»Ich habe keinen Appetit«, sagt er.

»Nein. Ich auch nicht.« Sie hält den Tesafilm etwas weiter weg von ihren Augen. »Aber etwas essen müssen wir.« Wo ist denn nur der Anfang? Sie dreht die Rolle einmal langsam im Kreis.

»Wie viel Uhr ist es?«

»Soll ich sie noch einmal auspacken, Pista? Ich weiß es nicht. Fünf?«

Jetzt hat sie die Stelle gefunden und knibbelt mit dem Fingernagel ein Stückchen von der Rolle ab.

»Kann ich Ihnen mit irgendetwas helfen?«, sagt er. Er sagt es aus Höflichkeit. Er kann sich eigentlich selbst nicht vorstellen, bei was er helfen könnte.

Sie zieht den Tesafilm lang, beißt mit den Zähnen unten an der Seite hinein und reißt ein Stück ab. »Sie können Musik anmachen«, sagt sie. Sie drückt den Klebestreifen auf das Geschenkpapier. »Aber bitte keinen Wagner. Etwas Leichtes.«

Sie zieht ein letztes Mal an der Zigarette, die inzwischen bis zum Filter heruntergebrannt ist, und drückt sie im Aschenbecher aus. Dann greift sie nach der Schachtel mit den Manschettenknöpfen. Mein Großvater steht auf und geht zum Plattenregal, das in den letzten zwei Jahren immer mehr zum CD-Regal geworden ist, und etwas später erfüllt der Klang von Blechbläsern den Raum, die in ewig sich hinziehenden Crescendi melodiöse Harmoniewechsel vollziehen. Es ist ein wenig pathetisch, aber gerade das gefällt meiner Großmutter. Es ist eins ihrer Lieblingswerke, »Hunyadi László« von Ferenc Erkel, eine sehr ungarische, sehr spätromantische Oper. »Telj-múlj, nagy idö / Ez, mit ma lelkünk úgy remél«, singt der Chor aus den Lautsprechern – »Vergehe, Zeit, große Zeit / das ist es, wonach unsere Seelen sich heute sehnen.« Normalerweise brummt meine Großmutter ein paar Oktaven tiefer mit, heute packt sie still weiter Geschenke ein, und mein Großvater sieht ihr dabei vom Sessel aus zu.

Ein paar Tage vor ihrem Selbstmord war der Arzt, mit dem meine Großeltern befreundet waren, bei ihnen zu Besuch. Sie hatten ihn angerufen und eingeladen vorbeizukommen, Genaueres hatten sie nicht gesagt. Er wusste, dass sie mit dem Gedanken spielten, sich das Leben zu nehmen – es war derselbe Arzt, den sie gebeten hatten, ihnen »Final Exit« zu besorgen, und der diesem Wunsch nicht nachgekommen war. Er wusste nicht, ob sie ihn als Freund oder als Arzt sehen wollten, wahrscheinlich beides, dachte er sich.

Ich besuche ihn in Kopenhagen, wo er mit seiner Frau in einem schönen hellen Haus mit Garten lebt, das Meer ist nicht weit, man kann es riechen. Seine Frau hat Mittagessen für uns gemacht, es gibt Gurkensalat, Krabben, milden gelben Hartkäse, gekochten Schinken, Schwarzbrot und gesalzene Butter. Frokost. Wie bei meinen Großeltern.

Wir sparen uns die Einleitung und reden sofort über meine Großeltern. Er habe sie bei dieser letzten Begegnung als heiter erlebt, sagt er. Er wisse natürlich nicht, was sich darunter verborgen habe, man habe ja über die beiden nichts Privates gewusst. Meine Großmutter habe ihm die Tür aufgemacht, mein Großvater habe auf dem Sofa im Wohnzimmer gesessen, sehr schmal, müde, aber allem Anschein nach nicht deprimiert. Nicht nach außen hin jedenfalls. Nachdem sie eine Weile über dies und das geplaudert hätten, habe mein Großvater plötzlich hinter sich gegriffen und mit einem triumphierenden »Wir haben es!« das Buch »Final Exit« unter einem Kissen hervorgezogen.

Knud, der Arzt, spricht sehr nett von meinen Großeltern. Er beschreibt sie als »aristokratisches Paar«, nennt sie »König und eine Königin«, seine Frau und er hätten sie sehr gemocht. Ich habe das Gefühl, er ist – neben Erzsi – der Einzige von allen, mit denen ich spreche, der hinter die Fassade meiner Großeltern gesehen hat. Der überhaupt wahrgenommen hat, dass es eine Fassade gab. Mit ihm kann ich offen sprechen, das fühle ich. Meine Großeltern konnten es ja auch.

Mein Großvater habe ihn gefragt, ob es wirklich notwendig sei, ein Antibrechmittel einzunehmen, erzählt er. Da habe er sich entschieden, ihnen jetzt alles zu sagen, was sie beachten sollten. Er habe ihnen nicht in den Tod helfen wollen. Aber als er sah, dass sie es auch ohne seine Hilfe tun würden, wollte er dazu beitragen, dass sie das Leben so schmerzfrei, so leicht wie möglich verlassen könnten.

»Ich fand den Gedanken unerträglich, es würde nur einer von ihnen überleben«, sagt er, »womöglich schwer verletzt.«

Also beantwortete er die Fragen meines Großvaters nach bestem Wissen und Gewissen. Es sei ein Fachgespräch gewesen, erinnert er sich. Zwei Ärzte besprechen sich. Ja, das Antibrechmittel sei unbedingt erforderlich. Ja, das Gift wirke noch schneller, wenn man die Gelatinekapsel entferne und nur das Pulver einnehme, das sei eine gute Idee.

Knud sagt, er habe den Eindruck gewonnen, es habe zwischen meinen Großeltern einen Pakt gegeben, nicht ohne den anderen zu sterben. Einen Schwur, den sie sich lange

Zeit vorher, fünfzig Jahre vielleicht, nach Ende des Zweiten Weltkriegs gegeben hatten und der möglicherweise nach der Flucht erneuert worden war. Ich denke genauso, aber das weiß Knud nicht. Ihr Entschluss sei unumstößlich gewesen, sagt er. Es gab keinen Zweifel.

Als er sich verabschiedet habe, sei mein Großvater sitzen geblieben, meine Großmutter habe ihn zur Tür gebracht. Im Vorraum habe er sie gefragt, ob sie es sich denn nicht noch einmal überlegen wolle. Sie sei doch vollkommen gesund, könne noch lange gut leben. »Du bist ein Feigling«, habe sie da lächelnd zu ihm gesagt. »Ein feiner Kerl, aber ein Feigling. Du traust dich nicht, dich dem Tod zu stellen.« Dann habe sie noch gesagt, er solle sich keine Sorgen machen, sie würden es ja nicht gleich morgen schon tun. Und als er sich am Gartenzaun noch einmal umgedreht habe, sei sie noch in der Haustür gestanden und habe ihm lachend nachgewunken.

Vier Tage später war sie tot.

Ob meine Großmutter die Tür hinter ihm geschlossen hat, und kopfschüttelnd zurück ins Wohnzimmer kam, so ein schöner Mann – das fand sie nämlich –, nur schade, dass er so ein Feigling ist? Oder ist es vielmehr so gewesen, dass sie die Tür hinter ihm schloss und ihre gute Laune, die vielleicht nur für den Gast aufgelegt war, entschlossenem Aktionismus wich?

Haben Sie alles notiert, Pista? Was hat er gesagt, wie viel Anti-Brechmittel?

Noch am selben Nachmittag ging meine Großmutter in die Apotheke in Ordrup, dem Nachbarort von Charlottenlund, und kaufte eine Packung eines Schmerzmittels, das bei rheumatischen Erkrankungen verschrieben wird. Bei Überdosierung führt es zu Atemdepression und Herzstillstand. Sie kaufte 100 Stück à 115 Milligramm, das Rezept hatte mein Großvater ausgestellt.

*

Meine Großmutter sitzt im Schlafzimmer auf ihrer Seite des Bettes, rechts, die Vorhänge sind zugezogen, die ballonförmige Hängelampe taucht den Raum in milchig weißes Licht. Sie hat ein gerahmtes Foto vom Nachttisch genommen. Sie selbst ist darauf als kleines Kind zu sehen. Sie sieht aus wie ein Zigeunerjunge, schwarze Augen, schwarze kurze Haare, dichter Pony. Der Mann, den sie so nett von der Seite anlacht, ist ihr Vater, Elemér, ein kleiner runder Mann mit Glatze und schwarzem Schnurrbart, der lustig in die Kamera guckt. Ein bisschen abseits steht in einem schwarzen langen Kleid eine schöne Frau mit langen schwarzen Haaren und melancholischem Gesichtsausdruck – Gizella. Meine Großmutter schaut es kurz an. Dann stellt sie es wieder auf den Nachttisch zurück. Sie bedauert, zum ersten Mal bedauert sie, an nichts zu glauben außer an sich selbst. Wie viel einfacher muss es für Menschen sein, die einen Gott haben, denkt sie. Diese glücklichen, schwachen Charaktere können sich beruhigt dem Irrglauben hingeben, dass mit dem Tod nicht alles zu Ende ist. Feiglinge, denkt sie. Die trauen sich nicht an die Würmer zu denken, die den Sarg durchbohren werden und ihre Überreste kompostieren. Ihre Gedanken springen zu ihren beiden Kindern, aber eine Weichheit gestattet sie sich nicht. Die sind erwachsen, denkt sie. Die haben längst selber Familie. Die konnten nicht von ihr verlangen, jetzt ihretwegen am Leben bleiben zu müssen. Es war ihr Leben. Sie schuldete niemandem etwas. Das würden die, entscheidet sie, schon verstehen.

Bis auf das Ticken der Wecker auf den beiden Nacht-tischchen ist es ganz leise. Kann Pista denn nicht Musik anmachen, muss er denn ausgerechnet jetzt so in Stille ver-sunken sein. Sie würde jetzt gerne etwas anderes hören als die eigenen Gedanken, die einer schnell hinter dem nächs-ten herjagen. Wo hat sie denn die Zigaretten, ah, hier, und wo das Feuerzeug? Vor ein paar Tagen wurden Teile der Altstadt von Dubrovnik durch einen Bombenangriff zer-stört, sie hat Bilder davon in den Nachrichten gesehen. Als Kind war sie ein paar Mal mit ihren Eltern in Dubrovnik. Auf einmal vermisst sie den Hund. Ach Mitzi, denkt sie, kleine Mitzi. Was sie wohl gerade machte? Ob Inga ihr ein gutes Zuhause bieten würde? Ob sie dort bleiben konnte, für immer? Wann würde wohl jemand bemerken, dass …

»Vera?«, kommt es aus dem Wohnzimmer.

Was war denn nun schon wieder. Konnte man ihn denn keine Sekunde allein lassen. Wie ein kleines Kind war er manchmal.

»Vera?«, kommt jetzt etwas lauter.

Sie zündet sich eine Zigarette an, nimmt einen tiefen Zug. »Ja?« Sie steht auf.

Mein Großvater liegt auf dem Sofa im Wohnzimmer, den Kopf auf eine der Armlehnen gestützt, er pafft ein Zigarillo und sieht dem Rauch dabei zu, wie er nach oben steigt und sich kurz unter der Decke in Luft auflöst. Heute ist also der Tag, an dem er sterben wird. War es ein gutes Leben? Ja, denkt er. Es war ein gutes Leben.

»Vera?«, ruft er.

Nichts.

»Vera?«, ruft er noch einmal.

»Ja?«, kommt es gedehnt zurück.

»Was machen Sie?«

Nichts.

Er will gerade seinen Satz wiederholen, da hört er ihre Schritte im Zwischenflur, der Schlaf- und Badezimmer mit der Küche verbindet, von der aus es wiederum ins Wohnzimmer geht. Er zieht an dem Zigarillo. Die Temperatur im Raum ist angenehm. Er hat im Moment keine Schmerzen, ihm ist nur etwas flau vor Hunger, aber sie werden bald etwas essen, so lange muss er sich eben noch gedulden.

Meine Großmutter kommt ins Wohnzimmer, Zigarette zwischen den Fingern.

»Was gibt es denn«, sagt sie.

»Ich habe mich gefragt, wo Sie bleiben.«

»Ich habe etwas aufgeräumt«, sagt meine Großmutter.

»Sie haben Ihre Goldkette an«, sagt mein Großvater. »Kommen Sie, setzen Sie sich zu mir.«

Er hebt den Kopf, nimmt die Beine von den Kissen und setzt sich auf, was nicht ganz so schwungvoll gelingt, wie er sich das vorgestellt hat. Er ist doch schwächer, als er sich fühlt. Meine Großmutter steht unschlüssig in der Mitte des Raums.

»Kommen Sie«, sagt mein Großvater noch einmal und schlägt mit der Hand auf den Platz neben sich.

»Ich möchte, dass wir etwas verabreden«, sagt sie und bleibt, wo sie ist.

Mein Großvater sieht sie an.

»Heute ist ein ganz normaler Tag. Wir gehen nur zu Bett.«

»Und schlafen ein bisschen länger als sonst?« Er lässt es vergnüglich klingen.

»Wir gehen nur schlafen. Nicht dramatisch. Abgemacht?«

»Kommen Sie her zu mir.« Mein Großvater streckt seinen Arm nach ihr aus.

»Ja? Können wir das verabreden?« Sie geht ein paar Schritte auf das Sofa zu.

»Ja.«

»Was ja?«

»Heute ein ganz gewöhnlicher Tag. Vielleicht gucken wir noch die Nachrichten … Nein, keine Nachrichten? Was haben Sie denn? Kommen Sie. Ein ganz normaler Tag. Wir werden bald zu Bett gehen. Also ich bin schon sehr müde. Ein ganz normaler Tag.«

Mein Großvater beugt sich etwas vor und zieht meine Großmutter an der Hand, in der sie keine Zigarette hält, zu sich heran. Sie gibt nach, setzt sich neben ihn auf das Sofa und legt ihren Kopf an seine Schulter. Er streicht ihr ein paar Mal über die dunkelgrauen Haare, die sich anfühlen wie Stahlwolle, dann entwindet sie sich seiner Berührung.

»Wir haben noch viel zu tun«, sagt sie und steht schon wieder.

»Natürlich«, sagt mein Großvater. »Wie viel Uhr ?«

*

Meine Großmutter lässt in der Küche das Wasser so lange laufen, bis es warm ist. Dann füllt sie den Teekessel, und setzt ihn auf den Herd. Sie kontrolliert, ob die Teepfeife fest genug sitzt – manchmal ist sie zu locker, dann kommt kein Ton heraus, und es ist ihr schon mehr als einmal passiert, dass das gesamte Wasser verdunstet war, als ihr endlich einfiel nachzusehen, ob es schon kocht.

Sie nimmt zwei Tassen aus dem Schrank. Nicht die vornehmen mit dem Goldrand, sondern ganz normale weiße, dickbauchige, und hängt jeweils einen Teebeutel hinein, Sorte Earl Grey. Dann nimmt sie die Packung Toast aus dem Brotkasten, die sie gestern gekauft hat. Sie ist noch verschlossen. Sie bindet die kleine Metallschleife oben auf und nimmt zwei Stück heraus. Sie überlegt kurz und nimmt dann noch ein drittes und ein viertes. Es ist Weizentoast, hat also kaum Ballaststoffe, und zu wenig, denkt sie, sollten sie auch nicht im Magen haben.

Sie schiebt alle vier Scheiben auf einmal in den Toaster, der groß genug wäre, noch weitere vier aufzunehmen. Bevor sie ihn anschalten kann, muss sie erst den Stecker in die Steckdose stecken – sie zieht ihn nach jedem Benutzen heraus, weil sie Angst hat, vollkommen irrational, wie sie selbst weiß, elektronische Geräte könnten von alleine anspringen und eines Tages würde das Haus abbrennen. Sie drückt den Hebel herunter, einen Moment später glühen die Heizdrähte auf, und aus dem Toaster steigt Wärme auf. Sie denkt eine Weile lang nichts, und dann gibt die Pfeife auf dem Teekessel irgendwann dieses leise Wispern von sich, mit dem sich ankündigt, dass sie gleich lautstark pfeifen wird und also das Wasser gleich kocht. Und während sie das siedende Wasser in die Tassen gießt, knackt es auch schon im Toaster, und die vier Scheiben Brot schnellen nach oben.

Meine Großmutter nimmt zwei Holzbrettchen vom Geschirrständer und legt die Toastscheiben darauf. Sie sind genau so, wie sie sein sollen – in der Mitte schön braun, am Rand etwas heller. Sie zieht die Besteckschublade auf und nimmt ein hölzernes Buttermesser heraus, dann holt sie einen Becher Margarine aus dem Kühlschrank und beginnt, die Toastscheiben dünn zu beschmieren. Die Margarine schmilzt schnell. Sie verteilt sie ordentlich nach den Seiten hin. Als sie den Deckel der Margarine wieder schließt, fällt ihr Blick auf das Haltbarkeitsdatum, das obendrauf gedruckt ist. »Gekühlt mindestens haltbar bis Januar 1992« steht darauf. Bis nächstes Jahr also. Das findet sie eine tröstliche Vorstellung. Die Welt würde sich weiterdrehen.

*

Um 18.30 Uhr essen meine Großeltern auf dem Sofa im Wohnzimmer sitzend jeder zwei Stück Toast mit Margarine, und trinken dazu eine Tasse leichten schwarzen Tee. Meine Großmutter fühlt sich auf einmal seltsam heiter. Als könne nun, mit dem Erreichen des ersten Punktes auf ihrer To-do-Liste, nichts mehr passieren. Als sei die Zielgerade erreicht, ab jetzt wird es laufen wie lange geplant. Ab jetzt muss sie nicht mehr denken. Nur noch handeln. Ab jetzt weiß sie, was zu tun ist und wann. Sie greift nach Pistas Hand und drückt diese kurz. Er guckt sie an und nickt fast unmerklich, und ihr steigt ein Lachen im Hals hinauf, und es ist gar nicht so leicht, es wieder hinunterzuschlucken.

*

Um 18.45 Uhr geht meine Großmutter durch das Haus, macht in jedem Zimmer Licht an und zieht die Vorhänge zu. Sie macht dabei so viel Geräusche, wie sie kann, tritt laut auf, murmelt halblaut Bestätigungen wie »so« und »gleich haben wir das«. Das Haus kommt ihr seltsam still vor so ohne Hund. Ungewohnt. Nicht angenehm. Sie macht Licht für Licht an, zupft hier noch ein Kissen zurecht und hängt ihren schwarzen Mantel doch noch von der Garderobe im Flur in den Schrank im Gästezimmer. »So.«

Als sie nach ihrer kleinen Tour zurück ins Schlafzimmer kommt, hat mein Großvater schon den gestreiften Pyjama an, den sie für ihn bereitgelegt hatte. Er sitzt auf dem Bett.

»Pista«, sagt sie, fast ein wenig aufgeregt. »Sie müssen sich das anschauen, kommen Sie, wir gehen einmal durch die Zimmer.«

Sie hat jetzt so ein festliches Gefühl auf einmal. Das ganze Haus leuchtet. Und es ist so schön aufgeräumt. Und die Rosen duften so fein im Wohnzimmer. Genau so hatte sie das immer gewollt. Hell. Leuchtend. Klar.

Mein Großvater schüttelt den Kopf. Er will nicht noch einmal aufstehen. Und selbst wenn er will, er kann es gerade nicht.

»Ich habe überall Licht gemacht«, sagt meine Großmutter. »Es ist wunderschön.«

»Was haben Sie?«

Mein Großvater kann seine Frau kaum verstehen. Ihm ist ganz schwummerig, ist es Aufregung? Angst? Wahrscheinlich Müdigkeit, denkt er. In letzter Zeit hat er immer tagsüber geschlafen, weil er nachts ja wach lag. Und heute war er sogar draußen gewesen. Ihm ist, als zwinge ihn eine bleierne Schwere nieder, und er hat nicht die Kraft, sich dagegenzustemmen.

»Was haben Sie?«, wiederholt er leise.

Meine Großmutter setzt sich neben ihn aufs Bett und nimmt seine Hand.

»Nichts«, sagt sie. »Es ist alles gut.«

*

171

Um 19 Uhr bringt meine Großmutter meinem Großvater zwei Tabletten gegen Reisekrankheit ans Bett. Sie
selbst hat ihre zwei bereits im Bad genommen. Sie hat sich
inzwischen ebenfalls fertig für die Nacht gemacht. Sie hat
Rouge aufgelegt, nur einen Hauch, damit es nicht auf die
Bettwäsche abfärbt. Sie hat die Haare gebürstet und ihr
bestes Nachthemd angezogen. Es ist aus weißer Seide und
hat einen mädchenhaft gerüschten Kragen. Der Stoff ist
ganz leicht, sie spürt ihn kaum. Sie hat sich Schmuck angelegt. Um den Hals die goldene Kette ihrer Mutter, ums
Handgelenk ihre zierliche goldene Uhr. Den dreifach ineinander geschlungenen Goldring, den sie normalerweise
immer trägt, hat sie abgestreift und auf ihr Nachtkästchen
gelegt. Erzsi soll ihn bekommen, und sie hat jetzt schon
das Gefühl, er gehört nicht mehr ihr.

»Brauchen Sie Wasser?«, fragt meine Großmutter.

Mein Großvater schüttelt den Kopf.

*

Ihre goldene Uhr zeigt 19.05 Uhr. Meine Großmutter sitzt auf der Seite meines Großvaters auf dem Bett,
guckt ihn an und streichelt seine Hand. Das Motorische
der Bewegung beruhigt sie. Es ist, als streichle sie sich
selbst. Er atmet schwer, sie weiß nicht, ob er schläft, aber
sie will ihn nicht wecken. Die Liste, auf der steht, was
wann zu tun ist, liegt auf ihrem Schreibtisch. Sie kann sie
vom Bett aus sehen, aber sie braucht sie nicht. Sie kann sie
auswendig. Es steht ohnehin nur noch ein Punkt darauf.

Sie streicht ihrem Mann über die Stirn. Ganz kalt ist die, und ein bisschen verschwitzt. Sie guckt wieder auf die Uhr. Es ist immer noch 19.05 Uhr.

*

Um 19.25 Uhr steht meine Großmutter auf. Sie hätte jetzt doch gerne Gesellschaft.

»Pista.«

Mein Großvater macht ein Geräusch und schlägt die Augen auf. Für einen kurzen Moment sieht er aus, als wisse er nicht, wo er ist.

»Es ist gleich halb«, sagt meine Großmutter.

»Hm«, macht mein Großvater.

»Pista«, sagt sie noch einmal, drängender. »Es ist gleich halb. Bitte, ich möchte jetzt nicht allein sein.«

»Ich bin da«, sagt mein Großvater, der sich jetzt mit aller Kraft, die er in sich finden kann, gegen die Müdigkeit stemmt und aufsetzt.

»Gut.« Sie geht ums Bett herum zu ihrem Nachttisch und nimmt eine Packung Tabletten aus der Schublade.

»Sind Sie noch da?«, fragt sie, ohne sich umzudrehen.

»Hm«, sagt mein Großvater. »Wie viel Uhr ist es?« Er sieht ein bisschen wie ein Schulbub aus in seinem breit gestreiften Pyjama.

»Halb acht. Wir nehmen gleich das Schlafmittel.«

»Schon?«, sagt mein Großvater.

»Pista, es ist halb acht.« Ihr Ton ist jetzt wieder so gereizt wie an jedem anderen Tag.

Während sie wieder ums Bett herumgeht, zählt sie ein paar Tabletten ab und legt sie meinem Großvater in die ausgestreckte Hand, dazu reicht sie ihm ein kleines Glas mit Wasser, das auch auf ihrem Nachttisch bereitgestanden hatte. Mein Großvater nimmt alle Tabletten auf einmal in den Mund. Er muss mehrmals nachspülen, bis er sie alle geschluckt hat. Meine Großmutter geht wieder zu ihrem Nachttisch und nimmt die Tabletten in die Hand, die sie für sich selbst abgezählt hat. Sie schluckt eine nach der anderen und nimmt jedes Mal einen kleinen Schluck Wasser dazu.

»So«, sagt sie, als sie fertig ist.

»Haben Sie schon den Brief geschrieben?«, sagt mein Großvater.

»Nein, das kommt jetzt«, sagt sie. So ist die Reihenfolge: Antibrechmittel, Schlaftabletten, Brief. Papier und Stift liegen auch auf ihrem Nachttisch bereit.

Sie setzt sich aufs Bett. »Sie schreiben.« Sie gibt ihm den Stift.

Mein Großvater greift nach einem Buch, das auf seinem Nachttisch liegt und das er jetzt als Unterlage benutzt.

»Was soll ich schreiben?«

»Pista, wie besprochen. Sie schreiben das, was man schreiben soll. Wie es im Buch steht. Soll ich es holen?«

»Nein, ich weiß schon.«

Er setzt den Stift aufs Papier und beginnt zu schreiben: »Dies ist wohlüberlegt worden.« Er schreibt auf Dänisch. »Dette er blevet velovervejet.«

»Und dass Sie die Arznei hergestellt haben«, sagt sie.

»Jeg har skabt medicinen …«, schreibt er weiter.

»Und dass das ohne fremde Hilfe geschieht.«

Er nickt. Er schreibt langsam, aber ohne abzusetzen.

Sie dreht sich wieder zu ihrem Nachttisch und nimmt aus der Schublade einen kleinen Post-it-Block, ein Werbegeschenk einer Arzneimittelfirma, auf dem sie sich manchmal Dinge notiert, die ihr vor dem Einschlafen einfallen und die sie nicht vergessen will. Sie nimmt ihren Füller und schreibt auf das oberste Blatt:

»Bitte keine Wiederbelebungsversuche.«

Dann setzt sie Datum und ihre Unterschrift darunter und reißt das Blatt ab.

»So«, sagt sie – als hake sie etwas ab.

Sie steht auf, geht die paar Schritte zur Tür, die offen steht. Sie bringt das Post-it außen in Augenhöhe an. Nachdem sie ein paar Mal mit dem Fingerknöchel über die Stelle gestrichen hat, wo sich an der Rückseite der Klebestreifen befindet, und sicher ist, dass es halten wird, geht sie zurück zum Bett.

Mein Großvater schreibt immer noch.

»Wo sind Sie?«, fragt sie.

»Jeg er så forpint af min sygdom«, liest er vor. »Wie schreibt man Kardiomyopathi?«

»Mit i hinten«, sagt sie.

Der kleine Werbe-Block liegt noch auf ihrem Nachttisch. Sie nimmt ihren Füller und schreibt etwas: »Wir haben zusammen gelebt, wir sterben zusammen. Wir haben euch sehr geliebt. Mami.« Sie schreibt es auf Ungarisch, es klingt wie ein Gedicht: »Együtt éltünk. Együtt megyünk. Szerettünk titeket nagyon. Mami.«

Dann steckt sie die Kappe wieder auf den Füller. Ist es normal, dass sie noch nichts von den Schlaftabletten spürt? Wie lange wird es dauern, bis sie davon müde werden?

»Fertig«, sagt mein Großvater.

Er hält meiner Großmutter das Blatt hin, die nimmt es und liest laut vor.

»Dette er blevet velovervejet. Jeg har skabt medicinen. Ingen kan være ansvarlig for hvad der er sket. Jeg er så forpint af min sygdom (kardiomyopathi) ... at alt hvad jeg ønsker risikerer er en fredelig afsked fra livet.« Und seine Unterschrift.

Er hat es auf die Rückseite einer Seite des »American Medicine Journal« geschrieben. Seine Handschrift ist unsicher. Meine Großmutter ist zufrieden.

»Ich komme gleich wieder.« Sie nimmt seinen Brief und ihr Post-it und geht damit ins Wohnzimmer. Den Brief meines Großvaters legt sie auf den Sofatisch. Sie legt ihn genau in die Mitte, dass niemand ihn übersehen kann, die Vase mit den Rosen rückt sie ein Stück zurück. Ihren Abschiedsbrief, den sie auf einen so schäbigen kleinen Post-it-Zettel geschrieben hat, dass ihre Kinder noch lange nach einem anderen, einem richtigen, suchen werden, klebt sie daneben.

*

Um 19.35 Uhr schließt meine Großmutter die Schlafzimmertür hinter sich. Alle Lichter sind an, die beiden Nachttischlampen, die Stehlampe neben dem Schreibtisch, die große runde Hängelampe. Sie setzt sich wieder aufs

Bett. Auf ihrem Nachttisch stehen noch zwei große volle Wassergläser, deren Grund mit weißem Pulver bedeckt ist. Sie nimmt den Löffel, der auch dort bereitliegt, und rührt erst das eine Glas um, dann das andere, bis das Pulver sich im Wasser verteilt hat.

Mein Großvater sieht ihr von seiner, linken, Seite des Bettes aus zu. Er hat die Decke bis zum Hals hochgezogen, nur sein Kopf schaut oben heraus.

»Sie müssen schnell trinken.« Mit diesen Worten reicht sie ihm ein Glas und nimmt selbst das andere.

»Moment.« Sie schlüpft mit den Beinen unter die Decke. Jetzt liegen sie nebeneinander im Bett, jeder ein Glas in der Hand.

Sie fühlt jetzt die Wirkung des Schlafmittels, das sich in ihrem Kopf auszubreiten beginnt.

»Pista?«

Er hört sie wie durch einen Schleier.

»Ja?«

»Jetzt«, sagt sie.

Sie führen beide ihr Glas zum Mund und trinken es ohne Absetzen leer, wie es im Buch steht. Auf den bitteren Geschmack waren sie vorbereitet, so schlimm ist es gar nicht. Sie stellen die Gläser auf die Nachttische.

»Pista?«

Ihre Hand sucht die seine.

»Ja?«

In ihrem Kopf wird es leiser. Alle Lichter sind an, aber es kommt ihr so vor, als wurde es gerade ein bisschen dunkler.

»Pista?«

Sie nimmt seine Hand.

Er möchte sie anschauen, aber er ist so müde auf einmal. So müde.

»Ich danke Ihnen.«

Er fühlt, wie sie seine Hand drückt.

»Nein«, sagt er. »Ich danke Ihnen.«

Es wird dunkel.

Sie schließt die Augen.

*

Am 14. Oktober 1991, der ein Montag war, warf der Zeitungszusteller wie jeden Werktag frühmorgens die »Berlingske Tidende« über den Gartenzaun. Er zielte so gut er konnte auf die Haustür, an diesem Tag ging sein Wurf ein wenig daneben, und die Zeitung landete gut zwei Meter zu weit vorne, auf der Steintreppe, die zum Haus hinaufführt.

*

Am Dienstag, den 15. Oktober 1991 warf derselbe Zeitungszusteller die Zeitung etwas geschickter, sie kam perfekt mittig auf der Fußmatte zu liegen. Jetzt lagen zwei Zeitungen vor dem Haus mit der Nummer 82, denn die vom Vortag war nicht hereingeholt worden, sie lag immer noch vorne auf der Treppe.

Am Nachmittag desselben Tages, am Dienstag, den 15. Oktober 1991, klingelte im Haus meiner Großeltern gegen 17 Uhr das Telefon.

Das war ich.

Ich saß in München auf dem grünen Cordsessel, der auch heute noch im Haus meiner Eltern vor dem Schreibtisch mit dem Telefon steht, vor mir das braun eingeschlagene Lederbuch mit den Nummern, aufgeschlagen bei »A«. Eben hatte ich einen Anruf meines Cousins aus Dänemark entgegengenommen, der fragte, ob unsere Großeltern zufällig bei uns seien? Sie seien nicht zu erreichen, und er sei gerade mit seinem Vater zu ihnen gefahren, da mache aber niemand auf, und da habe er sich gedacht, also, könnte ja sein, dass sie unter Umständen in München wären?

Nein, hier seien sie nicht, hatte ich so normal wie möglich gesagt. Wir hatten beide so getan, als wüssten wir nicht, was das bedeutete, und schnell aufgelegt.

Ich hatte dann in dem braunen Ledertelefonbuch meiner Eltern die Nummer meiner Großeltern nachgeschlagen, die ich nicht auswendig wusste, weil das damals noch die Zeit war, in der Ferngespräche etwas Besonderes waren und wir nicht oft miteinander telefonierten.

Ich wählte.

Es klingelte.

Ich wusste, dass niemand drangehen würde.

Es klingelte lange, meine Großeltern hatten keinen Anrufbeantworter. Ich stellte mir vor, wie das Telefon in ihrem Haus klingelte, wie es in ihrem Wohnzimmer auf dem Sekretär stand und klingelte, laut und lange, wie es bis in den letzten Winkel jedes Zimmers hinein deutlich zu hören war.

In der Küche, wo der Toaster wieder ausgesteckt war.

Im Gästezimmer, wo der Chagalldruck hing.

Im Eingangsbereich, wo im Regal der Totenkopf lag.

Im Gästeklo, das blau gekachelt war.

Im Bad, wo neben dem Zahnputzglas eine große Flasche »Nur 1 Tropfen« stand.

Im Esszimmer, wo die Diabelli-Noten ganz oben auf dem Tafelklavier lagen.

In ihrem Schlafzimmer.

Ich saß in München auf dem grünen Cordsessel im Wohnzimmer meiner Eltern, den Hörer am Ohr, in Kopenhagen klingelte das Telefon, und ich wagte nicht aufzulegen.

*

AUS DER POLIZEIAKTE:

Unmittelbar nach der telefonischen Anzeige am Dienstag, 15.10.91 wurden um 17.27 Uhr Polizeikommissar Søren J. und der Unterzeichnete in 305 (Wagennummer) sowie Carsten A. in 535 vom diensthabenden Polizeikommissar T. an die genannte Adresse in Charlottenlund geschickt. Wir kamen um etwa 17.40 Uhr vor Ort an.

Direkt vor Ort vor dem Haus wurden der Anzeigende, Peter D., wohnhaft in Hellerup, sowie sein Sohn, das Enkelkind (der Verstorbenen), Sebastian D., wohnhaft in Brabrand, angetroffen.

Sie gaben eine Erklärung gegenüber dem Kollegen, Polizeikommissar Søren J. ab.

Polizeikommissar Søren J. und der Unterzeichnete sowie der diensthabende Polizeikommissar Carsten A. gingen um das Haus herum, um eventuell ins Haus gelangen oder durch die Fenster etwas sehen zu können. Es brannte fast überall im Haus Licht, die Gardinen waren überall zugezogen, bis auf das Wohnzimmer, es sah aufgeräumt aus, es waren keine Personen im Wohnzimmer zu sehen. Es war nicht möglich, durch die Fenster in die anderen Räume hineinzusehen, weil die Gardinen, wie schon erwähnt, zugezogen waren.

Die Haustür war abgesperrt, so auch verschiedene Terrassen-/Gartentüren. Vor der Haustür lagen zwei feuchte Zeitungen, »Berlingske Tidende« vom 14.10.91 und vom 15.10.91.

Der diensthabende Polizeikommissar Carsten A. veranlasste, dass ein Schlosser herbeigerufen wurde.

Der Schlosser M. erschien vor Ort um 18.00 Uhr. Die Tür war kurz danach geöffnet, und der diensthabende Polizeikommissar Carsten A. ging daraufhin allein ins Haus, wo er die beiden Verstorbenen tot in ihren jeweiligen Betten liegend vorfand.

Der Diensthabende Carsten A. hatte zuvor erläutert, dass er es vorzieht, allein ins Haus zu gehen, weil die Möglichkeit besteht, dass es sich um eine andere Art Fall handeln könnte.

Polizeikommissar Søren J. und der Unterzeichnende betraten danach die Fundstelle, wo der diensthabende Polizeikommissar Carsten A. die Toten im Schlafzimmer liegend zeigte. Polizeikommissar Søren J. kehrte danach zurück zu dem Anzeigenden und dem Enkelkind.

Der Anzeigende und das Enkelkind gingen dann ins Schlafzimmer, wo sie die Verstorbenen identifizierten. Es wurde ein Zettel gefunden, an die Schlafzimmertür geheftet, mit folgender Aufschrift:

»Bitte keine Wiederbelebungsversuche«, datiert vom 13.10.91 mit Unterschrift.

Der genannte Zettel wurde als von der Frau (der Verstorbenen) geschrieben erkannt, die Unterschrift konnte nicht entziffert werden (wiedererkannt vom Anzeigenden und dem Enkelkind).

Der genannte Zettel wird der Sache beigefügt.

Der Tod wurde von dem Diensthabenden Carsten A. um 18.04 Uhr festgestellt. Ich und der Diensthabende Carsten A. stellten sichere Anzeichen des Todes fest, es fanden sich Leichenflecken an den nach unten zeigenden Körperteilen, ausgesprochene Leichenstarre vorhanden, sie waren beide kalt. Verfärbung/Leichenflecken an der linken Hand der Dame, nach unten zeigend. Als das Federbett von der Dame abgenommen wurde, sah man schwarze Zehen. Als das Federbett entfernt wurde, nahm die Verfärbung an den Füßen plötzlich zu. Es war im Übrigen kalt im Schlafzimmer. Beide hatten nach unten zeigende Leichenflecken in der Bauchgegend.

Aufgrund der obigen Feststellungen veranlasste der diensthabende Polizeikommissar Carsten A., dass ein Leichenwagen bestellt wurde.

Die beiden Verstorbenen wurden, wie bereits erwähnt, in ihren jeweiligen Betten liegend im Schlafzimmer aufgefunden.

Sie lagen beide unter der Bettdecke, die Köpfe schauten heraus. Sie hielten einander an den Händen gefasst.

Der Mann lag auf dem Rücken, er trug einen gestreiften Schlafanzug, mit der linken Hand hielt er die Hand seiner Frau.

Die Frau lag auf der rechten Seite, sie hielt sich den rechten Arm und die rechte Hand gegen den Kopf. Der linke Arm war ausgestreckt, sie hielt mit der linken Hand die Hand ihres Mannes. Die Frau war mit einem hellen Nachthemd bekleidet.

Im Schlafzimmer wurden auf dem Nachttisch der Frau verschiedene Medikamente sowie eine Spritze in einem Becher gefunden. Die Pillen sowie die erwähnte Spritze wurden hierher mitgenommen. Die Spritze war leer, es war eine Schutzhülle auf die Kanüle gesteckt. Auf den jeweiligen Nachttischen an den Betten hatten beide Verstorbene ein Glas halb voll mit Wasser stehen, beide hatten auch ein kleineres Glas stehen, in dem man sehen konnte, dass Pillen/oder Stoffe mit einem Löffel zerdrückt oder pulverisiert worden waren. In den kleineren Gläsern sah man Reste eines weißen Stoffes, sie sowie der Löffel wurden hierher mitgenommen.

Neben dem Bett, auf Seite des verstorbenen Mannes, fand sich ein Sauerstoffgerät.

Das Haus ist ein einstöckiges Gebäude, in einem Villenviertel mit hoher Bewachsung gelegen.

Das Haus lag ein wenig zurückgezogen von der Straße auf einer kleineren Anhöhe.

Das Haus ist ein Holzhaus, braun angestrichen.

Man konnte um das Haus ganz herumgehen, es ist in einer sogenannten Hufeisenform gebaut.

Alle Fenster im Haus waren geschlossen und von innen mit Haken befestigt. Sie waren alle unversehrt.

Bei der Durchsicht des Hauses und der Untersuchung der Zugangswege gab es nichts, was darauf hindeutete, dass ein Einbruch stattgefunden hatte.

Es war überall hübsch und aufgeräumt, es gab nichts, was darauf hindeutete, dass Gewalttätigkeiten etc. stattgefunden hätten.

Der Hund der Verstorbenen wurde nicht im Haus oder in der Nähe gefunden. Zum Haus gehört eine Garage an der Straße, das Auto des Verstorbenen in der Garage geparkt. Das Garagentor abgeschlossen.

Es ist anzumerken, dass in dem einen Zimmer verschiedene Geschenke auf einem Tisch angerichtet waren, für Bekannte/Familie.

Skizze des Hauses wird dem Bericht beigefügt.

Das letzte Blatt in der Akte, die die dänische Polizei über den Selbstmord meiner Großeltern angelegt hat und die in Helsingör archiviert wird, ist die Rechnung des Schlossers, der die Tür geöffnet hat. 297,02 Kronen hat es gekostet.

Ich danke Lily Brett für die Inspiration, meinem Vater für seinen Mut, meiner Mutter für ihre Unterstützung, Zsuzsi für ihre Geduld und Gastfreundschaft, allen, die sich Zeit genommen haben, mir von meinen Großeltern zu erzählen, Stephen-István für die vielen Informationen, Petra Eggers für die Begleitung, Georg Reuchlein für sein Vertrauen, Martin Mittelmeier für seine klugen Anmerkungen, Charlotte fürs frühe Lesen und Olivier einfach nur so.

FSC

Mix
Produktgruppe aus vorbildlich
bewirtschafteten Wäldern und
anderen kontrollierten Herkünften

Zert.-Nr. SGS-COC-1940
www.fsc.org
© 1996 Forest Stewardship Council

Verlagsgruppe Random House FSC-DEU-0100
Das für dieses Buch verwendete FSC-zertifizierte Papier *Munken Premium*
liefert Arctic Paper Munkedals AB, Schweden.

1. Auflage
© 2009 Luchterhand Literaturverlag, München
in der Verlagsgruppe Random House GmbH
Satz: Greiner & Reichel, Köln
Druck und Einband: GGP Media GmbH, Pößneck
Alle Rechte vorbehalten. Printed in Germany
ISBN 978-3-630-87291-9

www.luchterhand-literaturverlag.de